JN026332

LIFE INITIATIVE

どこでもオフィスの時代

人生の質が劇的に上がるワーケーション超入門

一般社団法人 みつめる旅 著

日本経済新聞出版

人生で一番大切な決定事項は「場所」

人生の重要な決定事項は、3つあると僕は常々考えています。

それは「どこで」「誰と」「何をするか」。

逆を言えば、この3つしか人生の重要な決定事項はないとさえ思います。そして一番大事なのが「どこで」。次が「誰と」、最後に来るのが「何をするか」です。この本はまさに「どこで＝場所」がテーマです。どこなら自分は一番幸せに生きていけるか。どこが自分にとって心の動く場所か。「場所」に関することが何よりも重要で、それ以外のことは二の次と言っていいのではないでしょうか。

まず、魂が呼ばれるようなしっくりくる場所を見つけて、その場所で誰と何をするかを考える。これが本来の順序ですが、逆転している人はかなり多いように思えます。「場所」が一番重要である理由をひと言でいうと、最適な「場所」を選ぶことで累積思考量が上がり、結果としてクオリティ・オブ・ライフ（人生の質）も劇的に上がるからです。

序章では、これまでビジネスの世界において戦略コンサルタントとして、またパブリックスピーカーとして考え続けてきた僕なりの視点で、自分にとって正しい場所を見つけることの重要性について書いていきますが、本題に入る前に、僕と一般社団法人みつめる旅との関係に触れておきたいと思います。

代表理事の鈴木円香さんとは、5年ほど前に仕事で知り合ったのをきっかけに長崎県・五島列島のプロジェクトでもご一緒するようになりました。彼女が手がけた五島の写真集を見てどうしても行きたくなり、仲間を募って五島に4泊5日で旅に出かけたのが3年前。「全力で何もしない」と決めて臨んだある種のチューニングトリップでしたが、その後、独立を決意するに至るなど僕の人生の中で一つの転機となりました。

昨年上梓した『ビジネスの未来〜エコノミーにヒューマニティを取り戻す〜』（プレジデント社）で、僕はもはや経済成長が望めない「高原社会」においては、未来のために現在を犠牲にする生き方ではなく、誰しもが人間らしい愉悦のために「今」を生きるコンサマトリー（自己充足的）な生き方をした方がいいのではないかと提案しました。

一般社団法人みつめる旅は、その名の通り、一人ひとりが生き方を見つめるきっかけとなるような「旅」の体験を世の中に広めることをミッションとしている団体です。理事4人が本業を持ちながら、楽しくて仕方がないから副業として活動しているという、まさにコンサマトリーな生き方の実践者たちでもあると感じています。その理念に共感し、このたびは序文と各章のコラムという形で応援させていただくことにいたしました。

「通勤がラクな場所」に住むことは重要ではない

さて、自分にとってしっくりくる「場所」を見つけるというテーマについては、他でもない僕自身がかつてよく考えた経験があります。

僕が東京の深沢から神奈川県の葉山に移住したのは2015年ですが、当時、周囲からは「通勤が大変だぞ」「ワークパフォーマンスが落ちるぞ」とずいぶん脅されました。

その際に背中を押してくれたのがアップルの元CDO（最高デザイン責任者）、ジョナサン・アイブのエピソードです。iMacのデザイナーとして知られるジョナサン・アイブですが、当初アップルに入社するか迷っていたそうです。その理由は、アップルの社屋があるカリフォルニア州クパチーノが、自分の住んでいた街から約60kmも離れていたから。車で片道1時間弱もかかる上に、クパチーノは物価が高く、何よりアイブは住んでいた街をとても気にいっていたので引っ越したくなかったのです。

迷った末にアイブは、車でクパチーノに通うことを決めアップルに入社します。その後の彼の活躍は皆さんもご存じの通りです。アイブのエピソードを読んで自分の中で「ま、いいか」と吹っ切れ、葉山への移住を決めました。

主体的に決めることの重要性は、リーダーシップの問題にも関わってきます。みんながこっちを向いているから自分もこっちではなく、誰が何と言おうと自分はこれがいいと思うからアクションを起こす胆力。好きなものは好きと堂々と言える鈍感力と言い換えてもいいかもしれません。まずはそれを回復することが大切です。

「好きな場所で働けるか」で競争力に差がつく時代に

2020年の秋にコンサルティングファームのマッキンゼー・アンド・カンパニーが「What's next for remote work: An analysis of 2,000 tasks, 800 jobs, and nine countries（リモートワークの次の展開：2,000の仕事、

800の職業、そして9つの国を分析した結果)」と題するレポートを発表しました。そのレポートには、「新型コロナウイルスの流行により、働く人の20%以上が週に3〜5日のリモートワークで、オフィスにいるのと同程度効率的に仕事ができるようになり、この状態が続けばコロナ前の3〜4倍の人が在宅で仕事をするようになる。結果、都市の経済、交通、消費行動、その他さまざまな点に甚大な変化を及ぼすことになるだろう」と書かれています。

これは単なる予測に過ぎませんから、当たらない可能性も十分にありますし、僕自身日頃から「予測は当てにならない」と繰り返し主張しているので、これを根拠にするつもりもありません。しかし、リモートワークと出社のハイブリッド型の働き方を、これだけたくさんの人が経

リモートワークに費やす時間の潜在的なシェア
アメリカにおける分野別データ

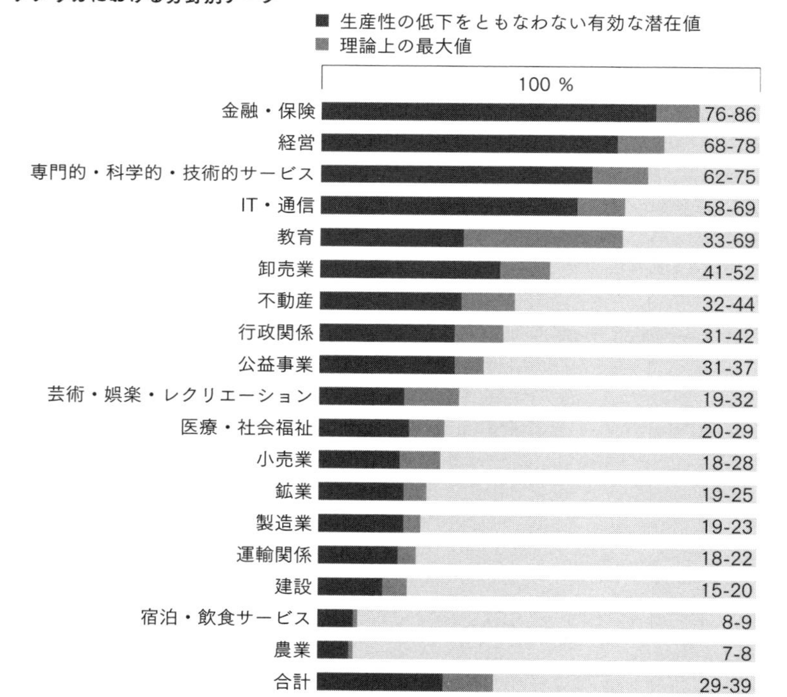

出所：What's next for remote work: An analysis of 2,000 tasks, 800 jobs, and nine countries

験した以上、パンデミック収束後も元の状態に完全に戻ることはまずないでしょう。

さらにこのレポートは、アメリカの各産業分野において労働時間の何割をリモートで仕事するようになるかも予測しています（左ページ）。

上位にランクインしているのは、まさに東京の丸の内や大手町のオフィスで働いている人たちの仕事です。仕事をしている時間の6～8割がリモート、つまり平日5日のうち3日以上オフィスに行かなくてもいいという状況になりつつあるわけですが、ここで皆さんによく考えていただきたいことがあります。

それは、コロナ前に就職先や転職先を探す際、「週に1回しか出社しなくていい会社はないかな？」と考えていた人がいたか、ということです。

おそらく、その視点で会社選びをしていた人はほとんどいなかったでしょう。誰もが「会社には毎日行くものだ」と信じていたからです。ところがパンデミックによりリモートワークが推奨され、「オフィスに出てくるな」とさえ言われるようになりました。それでも仕事は回り、特に支障がないこともわかってしまいました。つまり、「会社には毎日行くものだ」と信じていたことが、フィクションに過ぎなかったと露呈したのです。

たくさんの人がフィクションに気づいたことで、現在大移動が起きています。東京の自宅を手放して、軽井沢や湘南など都心に1～2時間でアクセスできる場所に移住する人が増え、その地域の地価がかつてないほど上がっています。みんなが動くタイミングで動いたために高値摑みをしてしまっている人も少なくないと聞きました。

でも、実は3年前でも一部の人は、「会社には毎日行くものだ」はフィクションだとわかっていました。遠隔地にいても仕事がスムーズにできるテクノロジーがこれだけ発達しているのだから、何もオフィスにいなくても好きな場所で仕事はできるよね、と判断していたファーストムーバー（先行者）はいたのです。今、世の中にどんな技術があるか、そしてどんな人生を生きていきたいかを常に自分の頭で考えるようにしていれば、みんながフィクションだったと気づくはるか前に行動を起こせます。

私たちが根拠なく信じているフィクションは、きっと他にもあると思います。今は気づいていなくても、5年後に「なんだ、あれはフィクションだったんだね」と判明することがいくつもあるはずです。例えば「本社は1か所にあるもの」というのもそうでしょう。都心の一等地に大きなビルを建ててそれを本社にするのが当たり前とされてきましたが、コストのかからない地方に置いてもいいでしょうし、もはや物理的な拠点を持つ必要さえなく会社はクラウド上にあればいいという時代がいずれやってきます。

そして、みんなが当たり前の「前提」としてしまっているフィクションに気づけるファーストムーバーでいるためには、「考える強度」が必要なのです。

場所が「人生のパフォーマンス」を決定づける

これまでの著書で何度も書いてきましたが、サイエンスで出された正解をアウトプットすれば競争力のある商品やサービスを生み出せる時代は終焉を迎えつつあります。そして、「自分はこれがいいと思う」と信じるものを突き詰めていかないと、多くの人から共感を得られる商品やサービスを生み出せない時代が到来しています。

日本企業は、ここ数十年の間ずっとイノベーションが起きない起きないと悩み続けていますが、これはライフにおいても、ワークにおいても、主体的に考えて決めることをしてこなかった人が圧倒的に多いからではないかと感じています。

イノベーションとは、固定された常識のタガを一つずつ外しながら、「what if, then？（もし～だとしたら？）」と問い続けることです。例えば、「パソコンはどうしてこれ以上、薄くならないの？」「厚さの原因であるCDロムのドライブは本当に必要なの？」「それをなくしてみたらどうなるの？」というふうに当たり前とされていることを一つずつ外していった結果、生まれてきたのが初代のMac Book Airでした。

公の場では、これを「イノベーション」と呼びますが、私の場に移すと引っ越し、転職、転身など人生におけるあらゆる「転機」となります。自分は今、この場所に住んでこの仕事をしてこの人間関係の中で生きているけれど、「what if, then？」と問うてみたとき、ライフオプションは無限にあると気づきます。

実は、誰もが自分の人生の脚本を、パーフェクトフリーダムをもって描けるのです。自分はどこに身を置いて生きていくのが、一番幸せなのだろう。その場所で、どんな人と、どんなことをして過ごすのが一番幸せなのだろう。そんなふうに「what if, then？」と問い続け、「場所」と「人」と「仕事」の3つをミックスすると、スペクトルが一気に広がります。

個人レベルで自ら「what if, then？」と問い、常識のピースを外せない人が、仕事では外せると考える理由がありません。仕事で圧倒的なパフォーマンスを発揮できる人は、個人レベルでも絶えず常識のピースを外し続けているはずです。ワークとライフは、一つの主体が営んでいるわけですから、分離できるはずがありません。

「what if, then？」と思い描いてみて、現状よりもしっくりきそうだったら、まずは動いてみる。それはデザイン思考そのものです。構想してみてよさそうなら、手を動かしてプロトタイプを作って試す。うまくいきそうなら、もっと突っ込んでやってみる。ダメだったら微修正する。この一連の動きを、ワークとライフの区別なく人生全体でやっていくということです。

自由に思い描いて、自由に試してみればいいのです。若い人であれば、今いろいろと登場している住まいのサブスクリプションのようなサービスを利用して1年ごとに違う場所を試してみるのもいいでしょう。そして、30代半ばくらいでしっくりくる場所を見つければOKです。もちろん、「what if, then？」と問い始めるのに遅すぎるということはありませんから、若い人に限らずあらゆる年齢の人がこの本を読んで、自分の人生にパーフェクトフリーダムを持っていることに気づき、行動を起こしていただけたらと思います。

「what if, then？」と考え続け、自分が落ち着く「場所」を見つけた人は、迷いがない分すごいパフォーマンスを発揮しますから、キャリア上も優位に働くと思います。一方で、自分の頭でしっかり考えずに世の中のマジョリティに乗っかって「そういうもんだよね」という選択を繰り返していると、いつまで経っても「これで本当にいいのだろうか？」という落ち着かなさを抱え続けることになり、パフォーマンスも上がりません。

二極化が進むクオリティ・オブ・ライフ

新型コロナウイルスの蔓延により、リモートワークがここまで大々的に社会にインストールされた今、自由に動いて自分にとってしっくりくる「場所」を見つけられた人と、そうでない人とでは、クオリティ・オブ・ライフ（人生の質）に甚大な差が生まれてくるでしょう。会社という組織レベルでも二極化が進みます。

パソコンに向かって一日仕事をしていても、終わって外に出たら自分が100％気に入っている風景が目の前に広がっている。そんな生活をしている人で構成されている組織と、そうでない組織とでは、生産性にものすごい差が生まれます。

グロス・エンプロイー・ハピネス、つまり従業員の総幸福量が高いかどうかが、企業の生産性に大きく影響する時代が到来しつつあります。そういう時代において、社員全員が「なんとなく」毎日オフィスに集まっている組織は、本当に大丈夫なのでしょうか？

僕はこれまでイノベーションについてずいぶん研究してきましたが、結局、イノベーションが起きるか起きないかは、「累積思考量」で決まります。世の中を変えてしまうようなイノベーションを起こすのは、考えている時間が長い人であるというのは鉄則なのです。そして、累積思考量を伸ばすには、余計な心配やストレスを可能な限り取り除き、心の満たされた状態を保つことが大切です。

例えば、家族の不和や経済的な心配事、家族や自分の病気などがあると、そこに脳の力を取られてしまい、本来自分が思考したいことに十分なリソースが割けなくなります。もちろん「貧困の罠」として言及されるような、自力ではどうすることもできない「ストレス」も世の中には存在しますから、それを無視して「思考しろ」と言うつもりはありません。

僕が伝えたいのは、自分が幸せであること、楽しく面白く感じられることへの「諦めの悪さ」をもっと多くの人が持った方が、社会全体での累積思考量が上がるのではないか、ということです。

僕自身、東京の深沢に暮らしていたときよりも葉山に越してきてからの方が、累積思考量やインプットの量は増えている気がします。周囲の反対にも耳を貸さず、ずいぶん乱暴なことをしたなあ、と自分でも感じますが、思いきって身を置く「場所」を変えたことは、確実に自分の人生にいい影響を与えています。いきなり引っ越すというのはハードルが高すぎると思いますが、この本にあるように「旅」を通して今の自分に一番しっくりくる「場所」を探し始めることで、皆さん一人ひとりのクオリティ・オブ・ライフにきっといい影響が生まれるでしょう。

2021年9月　　　　　　　　　　　　　　山口 周

目　次

第１章

「ワーケーション思考」で人生の主導権を取り戻そう

「このままでいいのだろうか？」という迷いから自由になろう

旅先での「あの瞬間」を思い出せますか？

突然ですが、皆さんは旅先で「この時間が永遠に続けばいいのに」と思えるほど幸福な瞬間を味わったことがありますか？

例えば、

——まるでアート作品のように複雑な色彩の、美しい夕焼け空が見渡す限り広がっているのを目にしたとき

——深い森の中で土の匂いと鳥のさえずりに包まれて、ただ黙々と山道をトレッキングしていたとき

——たぷたぷと優しく揺れる波音を聞きながら、水面（みなも）の影の広がる海に潜っていたとき

そんな瞬間に、「ああ、本当に旅に出てよかった」「生きていてよかった」「人生って、なんて素敵なんだろう」と、一点の曇りもない幸福感に満たされるものです。そんな瞬間と出会うために、人は一生懸命働いてお金を貯め、大変な思いをして長い距離を移動し、慣れない土地での数々の不便も乗り越えて旅に出ます。そして、そんな瞬間に遭遇したあとには、「また生きていこう」という瑞々しいエネルギーが内側から湧いてきます。

そんな瞬間を、一つでも思い出すことができましたか？

では、もう一つ質問です。
思い出すことができた「そんな瞬間」は、いつのことでしたか？

もし「数え切れないほどある」「頻繁にあっていちいち思い出せない」という方がいらっしゃったら、この本はここで閉じてしまって大丈夫です。きっとすでに「人生の主導権」を自分の手でしっかりと握っていらっしゃいます。でも、もし「一つも思い出せない」「もう何年もそんな瞬間を味わっていない」という方がいたら、ぜひこの本を読み進めてください。自分でも気づかないうちに、「人生の主導権」を自分以外の誰かに渡してしまっている可能性が高いからです。

「今日もいい一日だった」と眠りにつける人の共有点

この一冊の本を通じて、私たちが皆さんに一番伝えたいこと。
それは、**「自分自身にフィットする場所を見つけて、人生の主導権を取り戻す」**ことです。そして、そのための有効な手段の一つが「ワーケーション」という旅の一形態であるというのが、私たちからの提案です。「人生の主導権を取り戻す」なんて言うと、ずいぶん大それたことに聞こえるかもしれません。なかには「自分はそこそこ今の人生に満足しているし、『人生の主導権』とやらをわざわざ取り戻す必要を感じていない」という人もいるかもしれません。

「人生の主導権」を取り戻すと、どんな「いいこと」があるのでしょうか？

第一に人生がもっと楽しくなります。
「人生の主導権を取り戻す」とは、言い換えれば、「自分が生きたい人生を生きている実感を持つ」ということです。自分が心地いいと感じられる「場所」で、自分が心底やりたいと思えることにできるだけ多くの時間を使い、朝「今日は何をしよう」とワクワクしながらベッドから起き出し、夜「今日もいい一日だった」と満足して眠りにつけるような人生を送るということです。ただそれだけの、極めてシンプルなことです。

しかし「シンプル」とはいえ、そういう人生を手に入れるには背中を押してくれるような「きっかけ」が必要です。今の人生でも大きな不満はないけれど、心のどこかで「本当にこのままでいいのだろうか？」というかすかなぐらつきを感じている人は多いでしょう。または、現状にもまあまあ満足しているけれど、「いつかはやりたい」と願いながら実現できないまま十数年、数十年が過ぎ悶々としている人も少なくないかもしれません。

そう、人生の主導権を取り戻し、「今、自分が生きたい人生を生きているなあ」と実感が持てるところまで「あと一歩」という人が世の中にはたくさんいるのです。そして、**「あと一歩」を踏み出すための一番大事なきっかけが、この本のテーマである「場所」**なのです。

こう書く理由には、筆者である私たち自身の原体験もあります。

私たち一般社団法人みつめる旅は、長崎県・五島列島を舞台に活動している団体です。理事4人は、全員が東京で本業を持ち、副業として法人を立ち上げワーケーションの企画・運営の他、企業研修などを手がけています。本業ではそれぞれに編集者、広報PR、経営コンサルタント、IT企業のマネジャークラスとして仕事をしながら、好きで惚れ込んでしまった「五島」という「場所」と関わりながらいくつかのプロジェクトを動かしています。

この本の重要なトピックである「ワーケーション」に関しては、まだ「ワーケーション」という言葉がほとんど知られていなかった2018年から長崎県五島市で企画・運営をスタートし、これまで手がけたイベントには数百人のビジネスパーソンやその家族が集まってくださいました。

一般社団法人みつめる旅は、法人名としては一見ちょっと変わった名前ですが、そこには「旅を通して、自分の人生を見つめ直す時間を持ってほしい。そして旅のあと、より豊かな人生を送れるようになる人が一人でも増えてほしい」という私たちの願いが込められています。ワーケーションにしろ、企業研修にしろ、他の企画にしろ、私たちが五島列島という「場所」で取り組んでいるすべてのプロジェクトは一貫して、その願いが叶うようにコンテンツを丁寧に設計しています。

ありがたいことに、これまで企画・運営してきたワーケーションは全国的にも成功事例として評価していただき、五島市は不便な国境離島にもかかわらず「ワーケーションしやすい町」として認知されるようになり、他の地域から「うちでもそういうワーケーションをやりたい」とたくさん相談を受けるようになりました。

また2021年からは、私たちのメンバーが観光庁「新たな旅のスタイル」促進事業アドバイザーとして、ワーケーションの知見やノウハウを他の地域や企業の皆さまにも広めていく役割を拝命するに至りました。人生を見つめ直す旅がそれほどまでに世の中から求められていたことを知り、私たち自身も驚いています。

普段東京でバリバリと仕事をしているビジネスパーソンである私たちは、自分ゴトとして、人生についてじっくりと考える「みつめる旅」が必要だと切実に求めていました。これが実は同じように都市部で働いている他のビジネスパーソンからも求められていたのです。

「みつめる旅」を通じて、自分にしっくりくる「場所」を見つけ、そこから「毎日が楽しいな」「人生って、いいもんだな」と心から感じられる人が一人でも増え、結果的に「人生の主導権」を取り戻した人の力で、社会全体がより明るく元気になっていけばいいな。この本は、そんな願いから書き始めました。

私たちは生まれて2年のまだまだ小さな法人ですし、何しろ理事4人が全員副業でやっているがゆえに、手がけるプロジェクトも自分たちの心身の健康を害さない程度の小規模なもので、物事を進めるスピードもゆっくりです。それでも、一般社団法人みつめる旅のメンバーとして、愛してやまない「場所」である五島と関わり、活動し始めてから、「今、生きたい人生を生きている」という感覚は確実に私たちの中で強くなっています。

「ワーケーション」は、そうした人生のターニングポイントを見つけるための、一つの方法としてとても有効だと私たちは考えています。この本では、人生を「みつめる旅」としてのワーケーションの可能性を、まだワーケーションをしたことのない人にも実感していただけるように、もっとも本質的で基本的な考え方から丁寧に書いています。読者の皆さん一人ひとりが今一番フィットする「運命の場所」を見つけるためのお手伝いができたら、とても嬉しいです。

「ワーケーション」の本質は自分で決めること

この本は、あくまで一人ひとりが「今、自分は生きたい人生を生きているなあ」と実感できるようになるための「場所」について考える本ですが、一冊を通じて「ワーケーション」がキーワードになっています。「ワーケーション」という言葉は、最近広く知られるようになってきたものの、まだ詳しくは知らない方も多いと思いますので、ここで簡単に説明させていただきます。

皆さんもご存じの通り、ワーケーションは、WORK（仕事）とVACATION（休暇）を掛け合わせた造語として、ここ数年徐々に日本でも定着してきました。海が見える執務スペースでパソコンを開いていたり、仕事の合間に緑に囲まれた森林を散策しながら過ごしたり……。そうしたシーンと共に「ワーケーション」という言葉が流通しています。

皆さんの中にもなんとなく、ワーケーションとは、「旅をしながら仕事をすることでしょう？」「自宅やオフィスから離れた自然の中でリフレッシュしながら働くことでしょう？」と理解してくださっている方が結構いるのではないでしょうか。

そのイメージで、50％くらいは合っています。でも、本当に皆さんに理解していただきたい「ワーケーションの本質」は、そうしたイメージからは読み取れない残りの50％にあります。実はワーケーションの本質は、「自宅やオフィスから離れて旅をすること」でも、「自然の中でリフレッシュすること」でもないのです。

では、何なのでしょうか？

それは、「自分で決めること」です。

オフィスや自宅以外の自分の好きな場所を選び、WORK（仕事）とVACATION（休暇）のバランスも自分の好きなように決めて過ごす。これが、私たちの考えるワーケーションの定義です。

海の近くで過ごすか、森の中で過ごすか、はたまた温泉宿や都心のラグジュアリーホテルで過ごすか。滞在期間は3、4日にするか、1週間から10日にするか、もっと思いきって1カ月にしてしまうか。家族と一緒に行くか、一人で行くか、友人や同僚と行くか。仕事をする以外の時間は、何をして過ごすか。

ワーケーションという体験をしようとすると、このように自分で決めなくてはいけないことが無数にあります。そして、この**「自分で決めること」にこそ、自分の人生の主導権を取り戻すためのきっかけが豊富に詰まっている**のです。

ワーケーションは転職活動や副業に似ている

例えば、30代後半の山根さん（男性、仮名）。

大手企業に勤めるまじめな雰囲気の山根さんですが、実は私たちの企画するワーケーション・イベントに参加を決めた時点では、新卒から勤める今の会社を辞めて転職しようか迷っていたタイミングでした。将来を嘱望されていたものの、勤務先がインフラ系の大手企業でいわゆる「お堅い会社」だったこともあり、もっと「他の世界が見てみたい」という気持ちが膨らんでいました。山根さんの場合、かわいがってくれていた上司の方から「こういうワーケーション・イベントがあるから行ってみたら？」と声をかけてもらったことが参加のきっかけとなりました。

ワーケーションには奥様と二人で、週末を利用して土日＋月金の3泊

4日で参加。年齢層も勤務先もバラバラの他の参加者と一緒に、早朝から釣りに出かけ、そのあとは港の近くで長崎名物のちゃんぽんを食べて……。昼間は、地域の人の集う場にもなっているコワーキングスペースや、廃校を利用したコミュニティカフェなどを奥様と一緒に回りながら仕事をし、夜はまた他の参加者と五島の食を堪能しました。

山根さん曰く「人生初ワーケーションでしたが、なんだか転職活動や副業に似てるな、と思いました。うちの会社は新卒採用で定年まで働くパターンがほとんどなので、同質性が高くて社外の人との交流も少ないんです。

でもワーケーション中にいろんな会社の人や自営業の人と“バケーション”を楽しみながらいろんな話をすると、逆に今の会社のよさも見えてきて。自分と同年代の人が地域の人に向けてワークショップを開いているのも、すごいな！と刺激になりました。

僕みたいな30代が『会社、辞めようかな？』と思うのは、明確に今の職場が嫌だからではなく、もっと他の世界を知りたいからという理由が多いと思うんです。ワーケーションは転職活動や副業よりハードルが低く、楽しく自分の世界を広げられるからいいですよね」。

結局、山根さんは「今の会社で頑張ろう」と決めました。数年間「今の会社は保守的なザ・日本企業だし……辞めようかな……年齢的にも最後のチャンスだし……」とモヤモヤしながら毎日を送っていたのが、ワーケーションに挑戦したことで「今の居場所がいい」と腹落ちした例です。

そして、20代の橋田さん（女性、仮名）。

初めてのワーケーション・イベントに参加した時点では、新卒で入社したIT企業に勤務していました。当時の仕事はやりがいはあるものの、給与などの待遇があまりよくありませんでした。しかし、転職に踏み切る自信はなく、心のどこかで「自分なんて……」という想いを抱えた状態でワーケーションに出かけました。

旅先で一緒に過ごした他のビジネスパーソンたちとたわいのない会話をするうちに仕事の話にもなり、「橋田さんほどの人材なら、もっといい待遇で欲しがる企業はたくさんあるよ」「転職先を紹介しましょうか？」と声をかけてくれる人が何人もいました。最終的に、橋田さんはワーケーションをきっかけに転職に踏み切り、両立が難しいと思っていた「やりがい」と「待遇」の両方を手に入れられる新しい職場に巡り合え活躍しています。

自分の中のwantに気づけば、最高のサイクルが回り出す

山根さんや橋田さんのような例は、他にも続々とあります。

最初のうちは、なぜ1週間にも満たない五島列島でのワーケーションの体験が、それほどまでに人生にインパクトを与えるのか、私たちもうまく言語化することができませんでしたが、企画・運営の回を重ね、参加者の皆さんにインタビューを続けるうちにその理由が明確に見えてきました。

どんなに小さなことであっても、**「自分で決める」というアクションには、今の自分の心にある本当のwantを知り、それを実現させ、その結果を引き受けるという一連の流れが含まれています。**

例えば、「次のワーケーションは海辺の町でやろう」と決めたとします。そのとき、まず「海の近くで過ごしたい」という自分のうちなる欲求に気づき、掬い上げる必要があります。山でもなく、温泉でもなく、

海に行きたい気分だ。そしてどんな海がいいかと言えば、エメラルドグリーンのリゾートの海というよりも、ひなびた漁師町にあるような静かな海がいい……。そんなふうに、自分の心と対話をしながら、今の自分が心の底から望んでいること（want）を摑んでいくのです。

そんなこと、わざわざ言われなくても誰でもできるでしょ？とおっしゃる方もいるかもしれません。ところが、実際に自分のwantを正しく把握している人は、驚くほど少ないのではないかというのが私たちの実感です。

特に都市部で働くビジネスパーソンほど、自分のwantを脇に置いたまま、周囲から求められる役割に没頭する生活を何年も続けているうちに、他者のwantを自分のwantであるかのように錯覚してしまっている方が多いようです。「忙しいから」という理由で、本当は仕事よりも何よりも重要な「自分はどう生きたいかを考える時間」をないがしろにせざるをえない状況に追い込まれているのかもしれません。

自分のwantを正しく発見したら、次はそれを行動に移します。イメージに合うような海のある場所を探し、目的地を決め、移動手段を選んで手配します。wantの実現のために、自ら能動的に行動することもまた、私たちは日常において忘れがちです。

普段の自分の行動を振り返ってみると、純粋に「したいからする」というよりも、「しなくてはいけないからする」「するべきだからする」「しないと損をするからする」という動機からとっている行動が、意外にたくさんあることに気づきませんか。自分のうちなるwantを叶えるために素直に行動する。この「能動性の再起動」も、「自分で決める」を構成する大切な要素です。

そして、最後に重要なのが、行動した「結果を自分で引き受ける」ことです。実際に海辺の町でワーケーションをしたことで、自分の身に起きたこと、それを通じて感じたこと、考えたことが、必ず何かあるはずです。

例えば、ワーケーションで海辺の町に1週間ほど滞在した最終日、海に沈んでいく夕日を見ながら、「ああ、本当にいい1週間だった」としみじみと実感する。ただそれだけのことでも、十分意味があります。自ら決断して行動した結果、何を得たか。漠然とした気持ちでも、確固とした決意でも、はたまた「もっとこうすればよかった」というほろ苦い後悔でもいいのです。大切なのは、どんな「結果」であれ、それを自分の心と体でしっかりと感じ取り、受け止めることです。

そして、その結果を踏まえて、次は「また来たい」「帰ってからもたまには近場の海に出かけたい」「海のある場所に引っ越したい」など、新たなwantの発見に繋がり、「自分で決める」のサイクルが回り続けます。**「wantの発見」→「能動性の再起動」→「結果の引き受け」。この一連の流れが、「自分で決める」には埋め込まれているからこそ、山根さんや橋田さんのようにワーケーションの体験を通じて、その後の人生に変化が生まれた**のだと私たちは考えています。

ワーケーションにおいて小さなことから大きなことまで無数の「自分で決める」を繰り返す中で、「wantの発見」→「能動性の再起動」→「結果の引き受け」のサイクルが何回転もして、日常生活に戻る頃には、それがすっかり定着し、自分の人生の主導権を取り戻せた状態になっているのです。

逆に言えば、そういうワーケーションこそ理想のワーケーションであり、「自分で決める」の要素がないワーケーションではやる意味がないとさえ私たちは考えています。

戻ることができる「元の居場所」はなくなった

慣れ親しんだ「フォーマット」から抜け出すことが第一歩

この本では、最近注目を浴びつつあるワーケーションという体験を、皆さん一人ひとりが自分の人生の主導権を取り戻すトレーニングとして活用するためのヒントを紹介しています。今のタイミングは、「自分で決める」トレーニングに取りかかるのにまたとないチャンスです。

「自分で決める」には、たいていの場合、慣れるまでは不快感がともないます。「自分で決める」を繰り返して慣れてしまえば何ともないですが、踏み出したばかりのときに味わう不快感のために挫折してしまう人は少なくありません。

例えば、この決断で合っているのだろうか？他にもっといい選択肢があったんじゃないか？決める前にもっと人に相談した方がよかったんじゃないか？まわりから白い目で見られるんじゃないか？もしあとで間違っていたとわかったらカッコ悪い……。そうした不快感を引き受けることがしんどくて、「やっぱり普通が一番」「これまで通りが一番落ち着く」と元の居場所に逃げ込んでしまいがちです。

でも、心がチクチクとして不快であろうと、誰もが「自分で決める」ことに多少なりとも向き合わざるをえなくなった、歴史上稀に見る機会がありました。それが、今回の新型コロナウイルスの蔓延です。

新型コロナウイルスの蔓延にともなう社会のさまざまな変化は、あらゆる点で私たちにこれまで慣れ親しんできた「フォーマット」から外れることを強制的に求めてきました。「オフィスまで毎日通勤する」「平日は朝10時から夜18時まで仕事をする」「大切な打ち合わせは対面でやる」「請求書や契約書の紙の原本は必須」など、昭和の時代から長年疑われることなく揺るぎない「フォーマット」として君臨してきた事象が、いとも簡単に崩れ始め、それに代わる「新しい何か」を模索せざるをえない状況に私たち全員が放り込まれました。

さらに言えば、新型コロナウイルスの蔓延によって、私たちはミクロレベルでも「自分で決める」場面と無数に遭遇することになりました。

例えば、

- 今日は出社するのか、しないのか
- 電車に乗るのか、乗らないのか
- 人と話すのはオンラインか、オフライン（対面）か
- 自宅で仕事をするか、それ以外の場所で仕事をするか

自分で決めた無数の小さな事柄が果たして正しかったのかどうか、検証することはできません。ただ、慣れ親しんだ「フォーマット」から恐る恐る足を踏み出し、自分はこうしたい、あるいは自分はこれが正しいと思うという決断をし、実行することを繰り返すだけです。この本のキーワードであるワーケーションも、まさにそうしたミクロレベルの「自分で決める」の延長にあるのです。

実のところ「これまでのフォーマットにしがみついて、新しい何かを模索しない」という選択肢は、私たちにはありません。

山口周さんによる序文にも書かれている通り、今回世界で起きた事態は不可逆の変化となるでしょう。そして何より、貴重な人生の時間を、今後主流に返り咲く見込みが絶望的にない古いフォーマットの中で生き

続けることは、あまりにも悲しいと思いませんか？

　であるならば、私たちには、戻ることができる元の居場所はもはや存在しないという事実を受け入れた上で、「新しい何か」を積極的に模索する姿勢を自ら進んで身につけた方がいいと思うのです。そのためのトレーニングが、小さなことから「自分で決める」体験を繰り返すことであり、一人ひとりの人生を構成する「場所」と「時間」をデザインし、実現していく「ワーケーション思考」の実践に他ならないのです。

山口周さんコラム❶

「飽きている自分」に気づく能力を高めよう

今いるところから「場所」を変えることは、基本的に不快なことだと思います。というのも、同じ場所に居続ける方が、脳にとって情報処理の量が少なくラクだからです。昨日寝る前に見た風景と、今朝起きたときに見る風景が同じであれば、脳に負荷がかかりません。同じ場所にいると、脳はすごくラクができるわけです。

それに対して、場所を移動して知らない環境に身を置いた途端、脳は新しい情報をどんどん取り込んで処理しなくてはならなくなります。だから、脳にとって「場所」を変えることは、ある意味「不快」なのです。

海外に出かけていく。移住をする。転職をする。どれも「場所」を変えることですが、そうした変化に積極的になれない人も大勢いると思います。今すでに疲れているから、これ以上脳に負荷をかけたくないということなのかもしれません。日本の社会全体が、脳に負荷をかけるような体験をする機

LIFE INITIATIVE
Column:01
Shu Yamaguchi

会そのものをどんどん減らしているようにも思えます。
「脳に負荷をかける」とは、言い換えれば、新しい刺激を受けるということです。反対に、刺激がなく脳に負荷がかかっていない状態は、「飽きている」と表現することもできます。そして、僕はこの「飽きる」ことに対する感度が生きていく上でとても大切だと考えています。

例えば、序文に書いた通り僕の場合、2015年に東京から葉山（神奈川）に移住しましたが、その理由は「東京に飽きたから」でした。もうこれ以上東京にいても、脳に負荷をかけるような新しい刺激に出会えないと感じたのです。

幸福と創造性に関する研究で知られる心理学者のM・チクセントミハイ氏は、こんな研究結果を残しています。創造性というと一般的に若い人に多く見られる特性で、加齢と共に失われていくものであるように捉えられていますが、歳をとっても創造性が落ちない人たちを研究したところ、唯一の共通点として「退屈が大っ嫌い」であることが判明したのです。あらゆる角度から研究しても、それ以外の共通項は一切見当たらなかったそうです。
「飽きる」とは、要は脳が新しい情報をほとんど取り込まず、学習していないということ。ですから、自分は今の状況に飽きているのかもしれない、自分の脳は何らかの負荷を求めているのかもしれないと察知する能力は、とても大切なのです。

では、「飽きている自分」に気づいたときにどうすればいいのでしょうか？

僕はいつも「ダーツを投げてください」と答えるようにしています。「ふざけるな」と怒られるかもしれませんが、まじめに言っています。

僕は、戦略コンサルタントとしてキャリアを歩んでいた時期もあるので、職業柄「次は何が来ますか？」とよく尋ねられます。これから就くべき仕事、入社するべき会社、立ち上げるべき事業、作るべき商品やサービス……などなど、次に何をすべきかについてアドバイスを求められる場面が多いのです。

でも、僕の答えはだいたいいつも同じです。「そんなのわからないから、ダーツを投げて決めれば？」と。そう答えると、相手の方は困惑したような顔をされますが、可能な限り誠実に回答しているつもりです。

要は、そろそろ「正解思考」をやめませんか？ということです。

この本のテーマである、個人の生き方と「場所」に関しても同じです。自分が何をしたら楽しいか、心がときめくかは事前にはわかりません。絶対に予定調和せず、事後的にしかわからないのです。ですから、心がときめくような新しい物事との出会いは、ダーツを投げるように探すしかありません。たくさんのダーツを投げて、出会いそのものを増やしていく以外にないと思います。

早稲田大学ビジネススクール教授の入山章栄さんが「クリエイティビティは人生の累積移動距離に比例する」とおっしゃっていますが、僕も同感です。移動することそのものに短期的なメリットはありませんし、場合によっては損する場合さえあるかもしれません。それでも場所を変え続ける多動性は、長期的に見ると、脳を飽きさせずいつまでも創造的でいるためにとても大切な要素であると言えます。

第２章

「場所」と「時間」のフォーマットから自由になる

私たちは思いのほか、「場所」と「時間」にとらわれている

大切なのは、「今、一番行きたい場所」に行くこと

私たちが知らず知らずのうちに身につけてしまっている「フォーマット」は種々ありますが、その中でも「場所」と「時間」に関するものは強固です。例えば、「月曜日から金曜日の平日は8時間ほど働く」「毎朝とりあえずオフィスに出社する」、新型コロナウイルスの流行により在宅ワークが定着した今であれば、「平日は朝10時くらいから、とりあえず自分の部屋の机でパソコンに向き合う」となるでしょうか。

実際にフォーマットから外れてみると、とてもよくわかるのですが、私たちの行動や考え方は思いのほか、「場所」と「時間」によって規定されています。逆に言えば、「場所」や「時間」をこれまではまっていたフォーマットから、ほんの少しズラしてみるだけで、驚くほど思考が変化し、その結果として態度や行動まで変容します。

ワーケーションは、言うまでもなく第一に「場所のフォーマット」から自由になる試みです。仕事をする場所を「いつものオフィス」や「いつもの書斎」から変え、海辺のバンガローや、鳥のさえずりが絶えず聞こえるような山荘、国内外のユニークな人たちが集うデザイナーズホテルなど、自分が今一番行きたい場所に思いきって飛び込んでみましょう。

電車で1時間ほどで行ける近場でも、飛行機を乗り継いで数時間かかるような場所でもいいのです。**「場所のフォーマット」を外すことと「距離」に関係はありません。**別に近場でもいいのです。

大切なのは、「今、一番行きたい場所」に行くことです。

「旅費が高いから無理」「有給休暇をたくさん取らないと行けない」「家

族の合意が得られそうにない」「会社でテレワークが許される地域外だから無理」などなど、もろもろの事情をいったん全部取っ払った状態で考えてみてください。あなたが今、「行ける」と考えただけで心おどる場所はどこですか？死ぬまでに絶対に行きたい場所、ここに行かずには死ねないという場所はどこですか？

具体的な地名まで思い浮かばなくて、ただ単に「村上春樹の小説に出てくる海辺の町みたいな場所」や「子どもの頃、夏休みを毎年過ごしていた母方の田舎みたいな場所」といったイメージでも大丈夫です。

一つくらい、どうしても行きたい場所が見つかりましたか？

例えば、「屋久島に行きたい」という方がいるかもしれません。深い森の空気を胸いっぱいに吸い込みながらたくさんトレッキングをして、あの有名な樹齢数千年の屋久杉をこの目で見たい。苔むした地面に靴を脱いで座って、風で葉が揺れる音や鳥のさえずりに身を委ね何時間も森林浴をしていたい。

そう心密かに願っているのだけど、屋久島は遠そうだし（実は東京・羽田から飛行機で3時間ほどで行けます）、一人では心細いけど一緒に行ってくれる人を見つけられていないし……。そんなふうに、叶えられないまま十数年が過ぎてしまっているかもしれません。

はたまた日本を飛び出して、サントリーニ島やスコペロス島など、映画「マンマ・ミーア！」の舞台とされるギリシャの島に行ってみたい！という方もいるかもしれません。

静かな青い海に臨む断崖の、人口数千人の小さな町。白壁のこぢんまりとしたホテルに1週間くらい滞在して、テラスでゆっくり小説を読んだりして過ごしたい。夕方になったら町に繰り出して、「世界一の夕日」を眺めながらレストランでギリシャ料理を楽しみたい。でも、遠いし（東京から16時間！）、お金がかかるし（エクスペディアで10日間の滞在で検索すると、30万円くらい！）、ギリシャ語は喋れないし（観光地なので英語だけでOK）……。いったいいつ叶うのやら……。

現実のハードルはいったん脇に置いて、どんどん妄想を膨らませてください。

おい、それはただの旅行じゃないか。ワーケーションはどこにいったんだ？VACATIONだけで、WORKがないぞ？という声が聞こえてくるでしょうか。

いいのです。**最初はWORKのことは忘れて、「心底行きたい場所」を見つけることに集中してください。**なぜなら、それこそが、人生の主導権を取り戻す最初にして最大のポイントだからです。

このあと詳しく書いていきますが、「場所」こそが、他のさまざまな要素を決定する根っこのファクターなのです。「場所のフォーマット」を外すことで、それ以外の「時間」「価値観」「考え方」「人間関係」「働き方」、そして「仕事」や「生き方」までありとあらゆるフォーマットから自由になるきっかけを、誰でもほぼ自動的に摑めるようになります。

すべては「場所」から始まるのです。**だから、「心底行きたい場所」には、とことんこだわり抜いてください。**自分の中で具体的にイメージできるようになるまで、決して妥協せずにあれこれ妄想を膨らませ続けてください。

「その場所」に惹かれる本当の理由を知る

屋久島か、ギリシャのサントリーニ島か、はたまた子ども時代に夏休みを過ごした山村か。そこにいる自分を思い描いただけで、心がホカホカしてくる、ワクワクしてくる、テンションが上がる場所が見つかりましたか？

見つかったら、次は「なぜ、その場所に惹かれるのか？」を考えてみてください。例えば、屋久島ならば、

- 昔から「島」に惹かれるから
- 森の中にいると、なぜだかとても落ち着くから
- 太古からあるもの、悠久の時間が感じられるものが好きだから
- 自然の中をトレッキングするのが好きだから
- ジブリ映画「もののけ姫」の世界観を体感したいから

あたりの要素に分解できるでしょう。皆さんも先ほど見つけた「心底行きたい場所」について、同じように要素に分解して一番惹かれるのはどれかを自分の気持ちに聞いてみてください。

普段からメモをとるのが好きな人であれば、紙に書き出して整理しながら考えてもいいですし、「そういうのは苦手」という人であれば、目を閉じてぼーっとしながら「森林浴をしている自分」「トレッキングをしている自分」……と順番にイメージしてみてしっくりくる場面を探してください。

自分のハートに深く突き刺さる「なぜ」が見えてきましたか？

では仮に「屋久島に惹かれる一番の理由は、深い森があるから。鬱蒼とした緑と湿った土の匂いをイメージするだけで、なんだか胸がいっぱいになる」ということがわかったとします。もし、そのことを生まれて

初めて意識したのだとしたら、本当に素晴らしいことです。自分の中のとても根源的な欲求を摑んだということですから、この先、人生の主導権を取り戻す上で重要な鍵を手に入れたと言えます。

「深い森の中で、鬱蒼とした緑と土の匂いに包まれていたい」——これが、「場所」を決める上での最優先事項になります。自分にとっての最優先事項さえ見えれば、今は「屋久島」でなくてもいいのです（もちろん次の休暇でいきなり屋久島に行けるに越したことはありませんが）。

東京近郊であれば、秩父、奥多摩、那須、佐久、尾瀬でも、プチ森林浴は可能です。ちょっと予定がタイトになりますが、日帰りでも行けます。日帰りなら、お金もあまりかかりませんし、スケジュールの調整も劇的にラクになります。「屋久島」が「秩父」や「奥多摩」に置き換えられるのは、ずいぶんと近場になったと感じるかもしれません。

でも、いいのです。

大切なのは、自分の根源的な欲求を満たすために、具体的な行動を自力で起こしてみた、ということです。人間は、小さなことでも、思いきって一つ行動を起こしてみると、次の行動のハードルが劇的に下がります。

皆さんも人材育成などビジネスの現場で「スモールステップ」と呼ばれる手法を聞いたことがあると思います。アメリカの心理学者バラス・スキナー氏の理論に基づいたもので、目標を細分化してハードルの低いものから少しずつ成功体験を積むことで、最終目標に繋げていきます。

小さなことでも「できた！」というポジティブな結果が得られると、人間はまた同じことをやりたい衝動が強化されていくという考え方です。まさにこれを、「場所選び」に関しても実践してみませんかという提案です。

「他者目線の行動」から卒業しよう

五島列島を訪れた大企業の社員の方々の中に、こんな男性がいました。40代の佐々木さん（仮名）です。誰もが知る超有名企業の中で、新卒入社から順調にキャリアを重ね、上司からの評価も高く、同僚からの人望も厚い、誰しもから「デキる会社員」と見られている方でした。プライベートでは、奥様とお子さんがいて、多忙な中でもしっかり家事と育児をこなし、おそらく「デキるパパ」としても愛されているのだろうなあ、ということが会話の端々から想像されました。

そんな佐々木さんですが、内心悩んでいることがありました。それは自分の行動をすべて「他者目線」で決めてしまっていること。そう行動することが「出世に有利だから」「世間的な評価も高まるから」、そう行動しないと「上司に目をつけられるから」「妻の機嫌が悪くなるから」というふうに万事が他者目線を判断の理由にしていて、「何か自分がしたいことのために行動を起こすこと」を長年忘れてしまっていました。

そのことに気づいた佐々木さんは、3泊4日の滞在の最終日の朝、密かに「場所のフォーマット」を、ほんのわずかな時間だけ外してみることにしました。他の企業から参加した人たちがまだホテルで寝ているうちに起き出して、どうしても行ってみたいある場所に出かけたのです。その「場所」とは、岬に立つ小さな古い教会でした。滞在中、この教会の存在を知った佐々木さんは、なぜか無性にそこに行きたくなってしまったそうです。

ところが、検索してみると歩いていくには遠すぎる、バスはない、レンタカー屋さんはまだ開店していない、電動自転車では時間がかかりすぎる。あれこれ考えた末に、思いきってタクシーを呼ぶことに。そして辿りついた早朝の教会は、朝日に包まれて神々しく、そよ風に運ばれてくる潮の匂いを吸い込みながらの散策は何ものにも代えがたい時間となりました。そのとき、佐々木さんは思いました。「なんだ、やってみたら簡単なことなんだ」と。以来、佐々木さんにとって自分が望むことを叶えるために行動するハードルは、急激に下がっていったと言います。

ミクロレベルであっても、「心底行きたい場所」に立つために行動してみることが、人生の主導権を取り戻すきっかけとなった典型的な例です。

「お金がない」「長期休暇が取れない」「家族の都合がつかない」など種々のハードルを今、いきなり全部越えて、屋久島やサントリーニ島に出かけていくのは無理でも、こうして細かく分解して「小さな要素」を一つずつ叶えていく経験を積めば、いつか必ず屋久島やサントリーニ島に辿りつく日が来ます。

自分が行きたい場所に行くための心理的なハードルを下げるトレーニングを、何年かかけて続けてみてください。するとやがて、「あれ？どうして『絶対に無理』だなんて思っていたんだろう？やってみたら、こんなに簡単なのに！」と自分でも拍子抜けするくらいひょいと実現できるようになります。

「トレーニング」と書くと、なんだか筋トレみたいでしんどいことを我慢してやるような印象を持つでしょうか。でも、実際にはそのつど心が軽くなっていくような楽しい体験となることを保証します。

「時間は管理できる」は幻想

仕事をするかどうかは、天気で決めてもいい

さて、「場所」の次は「時間」です。

実は、ワーケーションは、「時間のフォーマット」から自由になる試みでもあります。当たり前のことですが、その場所には、その場所のベストな過ごし方があります。朝焼けが最高に美しい場所もあるでしょうし、満天の星は絶対に見逃せない！という場所もあるでしょう。ハイライトが、早朝、昼間、夕方、深夜にやってくるかは、その場所によって異なります。すると、自ずと時間の使い方もそれに合わせてカスタマイズする必要が出てきます。

私たちが企画・運営するワーケーションでは、平日の昼間に8時間みっちりデスクに向かって仕事をしている人は稀です。五島列島では、早朝や夕方は釣りに最適な時間帯ですし、晴れた日は海遊び、トレッキング、ドライブに農業体験などなど、楽しいことが山のようにあります。

午後は思いきり海で遊びたいから、仕事はいつもより早起きして午前中に済ましてしまおう。今日は雨で明日は晴れそうだから、今日は一日コワーキングスペースにこもって仕事を終わらせてしまおう。

そんなふうに、**「場所」の魅力を思いきり堪能するために「フォーマット」から自由自在に外れて、自分で「時間」の使い方を即席でデザインする人がほとんどです。**

なかには、「いつも通り平日は8時間しっかり仕事をする気まんまんで来ましたが、目の前に広がるエメラルドグリーンの海を見ていたら、この時間を仕事に使うのがもったいなくなってしまいました（笑）」と、仕事は朝晩と悪天候の日に集中的に片付けて昼間は土日も平日もほとん

ど「楽しむこと」に充ててしまった人も相当数いたほどです。

「人生の主導権を取り戻した人」ほど、社会から求められる

一方、「朝10時から夕方18時までは常に連絡が取れる状態で、パソコンの前にいること」という会社からの条件つきでワーケーションに来ている会社員の方もいました。つまり普段、オフィスに出社しているときとまったく同じ状態でワーケーション中も過ごしなさいと会社から言われているわけですが、残念ながら、それではワーケーションの意味がほとんどありません。

もし読者の皆さんの中に、会社の経営層の方、組織の意思決定層の方がいらっしゃったら、ぜひお願いしたいことがあります。それは、従業員の皆さんにワーケーションを推奨するのであれば、必ずそこでの過ごし方を個々人が「自主的に考えて決めること」とセットで実施していただきたいということです。

「自分の人生の主導権を取り戻す」というと、組織のルールを無視して自分勝手に生きる人が増えてしまうような印象を持ってしまう方もいるかもしれません。特に企業の管理職や経営層のなかには、「そんな人間が社内で増えたら困るよ」「そんなことをしたら、会社を辞めちゃうんじゃないの？」と心配する方も少なくないでしょう。

でも、実際は逆で、心配は杞憂です。むしろ、**これからの時代は、組織の中に「自分の人生の主導権を握れていない人材」を抱え続ける方が、経営上のリスクであるとさえ言えます。**売上の前年比増、株価の最大化……。揺るぎない一つの「正解」のために、トップダウンで全員が同じ方法論に則って一直線に頑張れば確実に結果が出た時代には、確かに自

分のwill（意思）はいったん脇に置いて全力疾走できる人材こそが、評価されました。

対して、今回の新型コロナウイルスの蔓延により変化が一気に加速し、明確になったように、これからは「正解」のない時代です。正解がない時代には、自分の頭で考えて動ける人材こそが求められる、そんな話も頻繁に耳にしました。でも、「正解がない時代」って結局何なの？「自分で考えて動ける人材」って結局誰なの？それがわからない……。どこの企業も悩んでいる問題です。

そして、この問題に対する処方箋こそ、「自分の人生の主導権を握れる人材を増やすこと」なのです。**自分が今、心の底からやりたいことがわかっている人は、当然ながら、モチベーションが常に極めて高い状態にあります。**「自分の仕事の専門領域」と「自分のモチベーションが高まる領域」が重なり合うポイントを、積極的に見つけ出すことができます。そのポイントにおいて、実現したいことを具体的に思い描くことができます。

さらに、思い描いたことを実現するために行動を起こすことができます。山口周さんの序文に書かれているイノベーティブな人材の条件にもある通り、正解も正攻法もない時代に、そういう人材はどこの企業も喉から手が出るほど欲しいのです。

ワーケーションを通じて、自分の人生の主導権を取り戻す人材が増えれば、会社にとっても実はいいことずくめです。そして、言うまでもなく、個人にとってはこの先どのように時代が変化しようとも、社会から求められる人材であり続けられるわけです。

「他人に支配されていた時間」を取り戻そう

少し脇道に逸れましたが、「場所のフォーマット」から外れると、ほぼ自動的に「時間のフォーマット」からも外れることができるという話に戻りましょう。

旅先で自由に仕事をする「ワーケーション」という働き方について、もっともよく聞かれる心配は、「時間」に関することです。例えば、「在宅ワークでさえダラダラしてしまうのに、誘惑の多い旅先でちゃんと時間を自己管理できるのだろうか……」「プライベートの時間（VACATION）と仕事の時間（WORK）はどのように線引きしたらいいのだろうか……」「子連れで行くと、ほぼ家族との時間で埋まってしまい仕事の時間が取れないのではないか……」など。これらの「時間」に関する心配事を見ていくと、だいたい次の一つの不安にまとめられます。

果たして「時間」をちゃんと自己管理できるのだろうか？

結論から言ってしまえば、この不安自体がナンセンスです。なぜなら、**「時間を自己管理しなければいけない」というのも、実は無意識にこびりついた一つのフォーマットだからです。**ちょっと考えてみてください。もし、これからやることが心底やりたいことであれば、居ても立ってもいられず、すぐに着手してしまいますよね？時間が経つのも忘れて没頭してしまうかもしれません。

「明日の午前中、10時から12時までの間で片付けなくてはいけない」というふうに、管理しなければ進まない仕事がたくさんあるとしたら、要注意です。ワーケーションを機に少し立ち止まって自分の時間の使い方について見つめ直した方がいいかもしれません。

貴重な人生の時間が、「実はあまり気が進まないこと」や「周囲から求められるがままに義務感でやっていること」で知らず知らずのうちに占められている可能性があります。

「自分の時間」を棚卸しするチャンス

ワーケーションは、「自分の時間」を棚卸しするまたとないチャンスです。

挑戦したい新鮮な体験がたくさんある。
やらなきゃいけない仕事もそれなりにある。
一緒に楽しみたい家族や友人もいる。

どれも捨てがたいものばかりです。できれば、全部に時間をうまく割り振りたい。その気持ちはとてもよくわかりますが、選ぶしかありません。「全部」は無理なのです。どれに優先的に時間を使いたいかを自分で決めてください。

なぜなら、「全部」を取ろうとした途端、お金も時間も投資したせっかくのワーケーションが、ただただ疲れるだけの苦行に変わってしまうからです。まさに、二兎を追うものは一兎をも得ず、です。何を隠そう、著者である私たち自身も自分たちがワーケーションを「する側」として、「全部」を取ろうとして見事に失敗した経験があります。

例えば、ワーケーション初心者の頃、みつめる旅のメンバー鈴木は娘がまだ4歳でした。仕事は普段と同じようにすべての定例ミーティングをそのままGoogleカレンダーに入れ、タスクの作業時間もカレンダーの隙間に確保。ミーティングとミーティングの間に娘を連れて車でビーチに移動して、波打ち際で遊んでからカフェでバタバタと食事を済ませ、また次のミーティングに滑り込み。

その間、イヤホンやパソコンの充電が切れないかハラハラしながらコンセントを探し続け、「おなかは空いていないか」「熱中症になりかけていないか」「十分に水分をとっているか」など娘の様子にも神経を使います。夜は夜で、地元の人がバーベキューに誘ってくださるので参加するも、娘はウトウトし始めて結局あまり話せないまま退散……。

そんなことをしていては、初日からもうヘトヘトです。子どもの機嫌もだんだん悪くなっていき、それを見てさらに自分の気分も落ち込んできます。だからこそ、「限られた時間を、自分は今何に一番使いたいか？」という問いに自分なりに答えを出してから、ワーケーションに行きましょうと強調したいのです。

何しろ自分が心底行きたかった場所ですから、体験したいことが盛りだくさんのはずです。「場所」を選ぶときと同じように、自分のハートによく耳をすませて、今、どんな体験が一番したいか、その土地で何を一番味わいたいかを聞き出してください。「この場所に行きたい！」と決めたときに、セットで浮かんできた「こう過ごしたい！」というイメージがあるはずです。それも参考にして、自分にとっての最優先事項を見つけ出してみてください。

予定はたった一つの問いで決まる

例えば、「とにかく海がきれいな場所で、大学時代以来まったくやっていなかったダイビングに時間をたっぷり使いたい」という方がいたとします。平日も土日もとにかく晴れた日の午後はできるだけ海に潜る時間を確保したい。この想いが、ワーケーション中の「時間」を設計する際の軸になります。

軸を中心に据えてから、「仕事」や「家族」などの要素を配置していきます。午後はダイビングに充てるとしたら、仕事は午前中や日が沈んでからの時間帯に集中的に片付ける必要が出てきます。そうすると、仕事に割ける時間は一日平均してせいぜい5〜6時間ほど。ここに欲張って、「家族との時間」や「地域との交流」まで入れ込んでしまうと、過去のみつめる旅のメンバーと同じ轍(てつ)を踏むことになります。

最終的には「今回はダイビングと仕事だけに集中するために、家族の都合を調整して一人旅にしよう」という結論になるかもしれません。他の人と一緒にやらなくてはいけないミーティングや商談などの予定は平日の午前中に集中させ、午後はフリータイム、日没から就寝までのどこかの時間帯でメールチェックや一人で完結する作業を済ませる。こういうふうに時間の使い方をデザインしていくのです。

ついでに補足させていただくと、「親だから子どもに優先的に時間を使わなくてはいけない」というのも、一つの過去のフォーマットです。普段、育児と仕事に追われ続けているママやパパだからこそ、ワーケーション中は思いきり「自分だけの時間」を確保したいという欲求があれば、それを確実に叶えることも大切です。

そんなママやパパたちのために、私たちが手がけるワーケーション・イベントでは、平日の昼間は子どもだけで参加できるアクティビティを用意しています。その時間は、もちろん仕事に使ってもいいのですが、一人で観光をしたり子連れでは挑戦しにくいトレイルランニングやダイビングといったアクティビティに使ったりしてもいいでしょう。

はたまた、疲れた身体をヨガやスパで癒やすことに集中してもいいですし、育児中はまず取れない読書タイムに充てるのも素敵な過ごし方だと思います。とことん「自分のうちなる欲求」に素直に過ごす。これが一番の肝です。

限られた時間を、自分は今何に一番使いたいか？

実は、本来はこの問いには日常生活でも向き合った方がいいのです。ただ目の前に絶対にやりたいアクティビティやどうしても訪れたい絶景がないから、なんとなくメリハリをつけずに過ごしてしまっているだけのことです。

ぜひ、ワーケーションを通じて、この問いを常に自分に投げかけ続ける癖をつけてみてください。そして、日常に戻ってからも、折を見て同じ問いと向き合ってみてください。それは自分の心を定期的に検診して、チューニングするようなもの。「あれ？」と違和感を覚えたら、また次のワーケーションの予定を立て始めればいいのです。

「選択肢は多い方がいい」という思い込み

「どっちも」のプレッシャーから自由になろう

「時間」の使い方を考える際に、仕事も遊びも家族も全部詰め込みたくなってしまいますよね？という話をしましたが、都市部でバリバリ仕事をしているビジネスパーソンほど、「選ぶこと」が苦手な印象です。どうしても「あれもこれも」「どっちも」「全部！」と欲張ってしまいがち。

でも、それは考えてみれば仕方のないことなのです。

なぜなら、これまでの人生では「選ぶこと」よりも「選ばないこと」の方を求められてきたからです。社会的にも「どっちかを選ぶこと」よりも「どっちも手に入れること」がよしとされていて、そういうメッセージがたくさん発信されています。

「キャリアもプライベートも」「仕事も育児も」「キャリアアップ（出世）も家庭も」「やりがいも収入も」「安定も楽しさも」……などなど、就職、結婚、転職、出産、出世とあらゆる人生のターニングポイントで私たちにかかる「どっちも手に入れること」のプレッシャーは、かつてなく強まっているように思えます。ゆえに、私たちは「選ぶこと」が苦手になってしまっているのです。

さらに言えば、「たくさんのオプションを持っている状態をキープできていること」が、なんとなく頭がよくて優秀とされているきらいさえあります。

当たり前ですが、何かを選ぶことは、選ばなかった他の選択肢（オプション）を捨てることです。常に目の前に豊富なオプションがあるということは、常に何も選んでいないということです。よく就職先や転職先を選ぶときに、「この会社や業界に入れば、次のキャリアの選択肢が広がるから」という理由を挙げるビジネスパーソンがいます。その理由も新卒ならまだわかるのですが、2回目、3回目の転職でも同じ理由で会社を選んでいる人が少なくありません。

しかし、そんなふうに死ぬまでオプションを増やし続けたとして、どうなるのでしょうか？

人生を本当に意味のあるものにしようとすれば、どこかの時点で「本

当に欲しいものだけ」に絞って、そこに時間、お金、エネルギーなどのリソースを集中させ、他のオプションは捨てる勇気を持つ必要があります。

「どっちか」よりも「どっちも」をよしとする価値観は、私たちの無意識に長年刷り込まれてきたので、いきなり切り替えるのは難しいと思います。ですから、まずはワーケーション中だけでも、勇気を出して本当に欲しいものだけを選び取り、他のオプションは捨てる練習をしてみてください。一度やってみると、「捨てる」は「怖いこと」ではなく、「楽しいこと」だと実感していただけるはずです。

「場所」と「時間」を選べば、刺激が最大化される

「場所」と「時間」を自分にとって最適な状態にデザインできると、そこからいろいろなプラスの波及効果が生まれてきます。なかでも、一番大きな波及効果は、入ってくる「刺激」が最大化されることです。そして、その刺激の量と質も、ベストの状態を保つことができるようになります。

例えば、とある企業から参加した大宮さん（仮名）。見た目は「気さくなおじさん」ですが、実は従業員数1万人規模の大企業の役員を務めています。日頃は多忙を極める生活を送っているものの、「どうしても行きたい！」と数か月前から重要な予定の数々を調整して3泊4日で五島のワーケーションに挑戦しました。つまり、万難を排してその「場所」に行きたいという熱意をもって、それを実現するために優先順位を整理し、自分の「時間」をデザインし直したわけです。

それほどまでに大宮さんにとってワーケーションは、ハードルの高い

ものでした。大宮さん曰く「自分は新卒で今の会社に就職してから、絵に描いたようなモーレツサラリーマンで、ザ・昭和の人間なんです。今までの自分なら、ワーケーションなんて考えられなかった。経営上の大事な予定を調整してまで、旅先で仕事をするなんて絶対にありえなかった。

でも、写真の風景を見ていたら、どうしても行きたくなってしまって。こんなこと、社会人になって初めてかもしれないですが、自分の感性に身を委ねてみようかな、と」。大宮さんは勇気を出して、まさに長い年月をかけて身に染み付いた「フォーマット」から一時的に外れてみたわけです。

結果、大宮さんは、旅先で見聞きするあらゆるものを、私たちも驚くほどの吸収力で自分の中に取り込んで帰っていきました。観光名所はもとより、旅を共にした他の企業の若手と夜遅くまで話し込んだり、行く先々で出会う地域の人とも楽しそうに立ち話をしたりして、気づいたことはこまめにノートにメモしていました。そして最後には「自分が普段どれだけ狭い世界で生きていたか思い知らされました。本当に知らないことばかりでした」と感動した様子で、帰路についたのです。

皆さんも、「なんとなく行った場所」と「どうしても行きたくて行った場所」では、自分の中のアンテナの感度が全然違うと思いませんか？例えば、旅先で、地元のおばあちゃんがやっているような小さな食堂でランチに刺身定食を食べたとします。旅先が「なんとなく行った場所」だった場合、「美味しいな」で終わってしまうかもしれません。

でも、「どうしても行きたくて行った場所」であれば、これは何という魚なのか？ここの海で獲れたものなのか？……などなど、店のおばあちゃんを捕まえて質問を始めたりするでしょう。あるいは、事前に店のことをいろいろ調べたりするかもしれません。

質問に答えるおばあちゃんが「朝、魚市場を覗いたら楽しいよ」とたまたま教えてくれて、次はそこにどうしても行きたくなってしまう。そんな展開も考えられます。

こうしていったん「行きたい」→「知りたい」→「面白い」のサイクルが回り始めると、アンテナの感度はどんどん鋭くなっていきます。五感を通して飛び込んでくるありとあらゆる刺激が意味を持ち、次の段階として、刺激同士が思わぬ連鎖反応を起こすようになります。

食堂のおばあちゃんに教えてもらった通り、翌朝近くの魚市場に出かけていってみると、獲れたての魚が所狭しと並んでいて、威勢のいい声で競りが行われていたとしましょう。売られている魚は、びっくりするほど大きく立派なものばかりで、なかには見たことのないような不思議な種類の魚もあります。競り落とされる値段を見れば、上等な鯛でも驚くほど安かったりします。よく見ると、漁師さん以外にも、地元のおじさんが中高生の子どもと一緒に早朝釣った魚を持ち込んでいたりもします。目に映るものにいちいち興味を惹かれます。

こうした光景を目にして、魚の種類に興味を持つか、鮮魚の流通システムに興味を持つか、はたまた地域の人の副業に興味を持つかは人それぞれでしょう。でも、間違いなく、漫然と旅をしていては出会えない新鮮な刺激が、感度の高まったアンテナに引っかかるはずです。

わがままになればアンテナは最高の状態に近づく

刺激を受け取るアンテナの感度を上げること。この重要度は仕事に置き換えても同じです。上から降ってきた仕事を言われたままにこなしているうちは、自分から勉強したりして積極的に情報を取りにいける人は稀です。「決裁者である上司がめちゃくちゃ尊敬できる」「自分のアイデアから生まれた新規事業だ」「初めてプロジェクトリーダーを任された」などの理由から、**その仕事を心底「やりたい！」「成功させたい！」というモチベーションが高い状態の時、入ってくるあらゆる情報に自分の中のアンテナが反応するようになります。**

すると、その途端、飛び込んでくる情報がまったく違って見え始めます。「解くべき課題」「次の展開のヒント」「勉強すべき未知の領域」「いつか使えそうな重要情報」「チームに共有したいネタ」……漫然と仕事をしていたときにはスルーしていたであろう情報に、明確にラベル（意味）がつけられていきます。

結果、スライド資料の作り方を勉強しよう、プレゼンの達人の動画を研究しよう、PL（損益計算書）が読めるように参考書を買おう、自社のIR資料に目を通してみよう、といった具体的な行動に繋がり、その新たな刺激がもっと「知りたい」という欲求に火をつけます。このポジティブな循環に入れば、歯を食いしばって「勉強しなきゃ」なんて思わなくても、自然と必要な情報が取り込めるようになります。これが本当の意味で「身につく勉強」です。

とはいえ、最初から「仕事」というフィールドで、自分のアンテナの感度が上がる環境を作るのは難しいものです。上司、プロジェクトメンバー、ポジション、予算などなど、自分でコントロールできる範囲は限られているからです。だからこそ、まずはワーケーションという機会を利用し、「旅」を通じて自分のアンテナの感度を上げるトレーニングをしてみることをおすすめします。

心底行きたい場所では、「楽しいこと」「心おどること」をどんどんキャッチしようとアンテナの感度は自然と鋭くなっていきます。つまり、**いい意味で「わがまま」になればなるほど、自分の中に取り込める「刺激」は量も質も最高の状態に近づいていくのです。**

この状態は、山口周さんのコラム❶に登場する心理学者チクセントミハイが提唱した有名な「フロー理論」の概念とも重なります。創造性の高い人たちが、その力を最高潮に発揮しているときの共通点として「行動に対する即座のフィードバックがある」「気を散らすものが意識から締め出される」など9つの状態が見られるとする仮説です。

「最高に集中した状態」がいかに人を創造的にするか、永続的な幸福感を与えてくれるかについてはチクセントミハイの研究結果が広く知られています。自分にとって「正しい場所」を見つけることは、「フロー状態」の入り口でもあるのです。

皆さんのまわりに、さして自分から動き回っているように見えなくても、いつも楽しそうなプロジェクトにお声のかかる人や、絶えず面白い仕事のネタを持ってくる人はいませんか？そういう人は「刺激」の方から寄ってくるサイクルに入っています。

自分の中に入ってくる「刺激」の量と質を最高の状態にもっていけるようになれば、もはや無敵です。仕事でも、プライベートでも、意識的な努力は特にしなくても、常にワクワクしながら新しい情報を取り込み、自分の中にすでにある情報と結びつけ、さらに次の情報を取りにいけるようになります。そういう人のまわりには「面白そうだな」と嗅ぎつけて人が自ずと集まってくるので、さらに愉快な「刺激」が与えられます。

何歳になっても「人生の主導権」は取り戻せる

「人生100年時代」と言われるようになって久しいですが、**この能力こそ、どの年代でも、どのライフステージでも、人生を最高に面白いものにしてくれる万能の武器です。**人生100年のうち働いている期間は、20代中盤から60代を経て、70代、80代、人によっては生涯現役という場合もあるでしょうから、50年以上。その間、会社員である時期、複業や副業にチャレンジする時期、思いきって独立しフリーランスで活動したり経営者となる時期など、いろいろなワークスタイルで社会と関わり続けることになります。場合によっては、家族の世話や病気の治療のために、一時的に仕事から離れる時期もあるかもしれません。

でも、どういう状況にあっても最良の「刺激」を捉えられるアンテナが自分の中にありさえすれば、不安は半減します。キャリアに関する不安のほとんどは、「○○から取り残されたらどうしよう……」という漠然とした想いから生じます。

「自分の専門スキルや知識がアップデートされていないのではないか」
「業界の最新のトレンドをキャッチアップできていないのではないか」
「情報収集のために社外のネットワークを広げておかないといけないのではないか」など、「○○から取り残されたらどうしよう……」という不安は、私たちの中に根強くあります。

対して、アンテナの感度が高い状態で、最良の「刺激」を集められているとき、取るべき情報が取れていないという「不足感」や「欠乏感」を覚えることはないはずです。何しろ、自分の中にはワクワクするような情報が芋づる式に飛び込んできて、いつでも満たされているのですから。

むしろ、「あれもやりたい」「これも挑戦したい」と人生に前のめりになるあまり、「一日24時間じゃ足らない！人生何回あっても足らない！」という悩みを抱えることになる可能性の方が高いでしょう。

今、「ワーケーション」というと、20〜40代の比較的若い層が行うイメージですが、将来的にはアーリーリタイアを決めた50代や、子どもが巣立って第2の人生を歩み始めた60代、70代にも広まっていけばいいな、と思っています。

これまでの人生は「フォーマット」にしたがってただただ懸命に、実直に働いてきたという方も、上の世代には相当数いらっしゃるはずです。でも、それは「フォーマット」に則って生きることがもっとも合理的な時代だったのだから、当然のこと。恥ずべきことでも、悔やむことでもありません。その時代に合った生き方をしていただけです。次は、時代の変化に合わせてしなやかに、軽やかに、自分の人生の主導権を取り戻すことを徐々に覚えていけばいいのです。**「やろう」と心に決めさえすれば、誰でも、いつからでも始められます。**

「旅に出る」ことは本質ではない

「テレワーク（リモートワーク）」との違い

「場所」と「時間」、そしてそこに吸い寄せられる「刺激」の話をここまでしてきました。慣れ親しんだフォーマットから勇気を出して一歩を踏み出し、自分が心底望む「場所」と「時間」をデザインすることの大切さをわかっていただけたでしょうか。

次の章に進む前に、ワーケーションと似た概念として混同されやすい

「テレワーク（リモートワーク）」について簡単に触れておきたいと思います。

普段ワーケーションの企画・運営をしていると、よく「ワーケーションとテレワークは何が違うのですか？」という質問を受けます。一般的に回答すると、「テレワークは、オフィス以外の自宅やコワーキングスペース、カフェなどで仕事をすることで、ワーケーションは旅先で仕事をすることです」となるでしょう。「テレワーク＝日常の近場」「ワーケーション＝非日常の旅」といった感じです。

では、例えば、東京に住んでいる人が、都内のちょっとラグジュアリーなホテルに数日滞在して仕事をする。これはテレワークなの？ワーケーションなの？といういじわるな質問もあるかもしれません。

結論から言えば、「どっちでもいい」です。

これまでワーケーションにたくさんのビジネスパーソンを誘致し、また私たち自身もワーケーションを日々実践している立場からすると、「テレワーク」と「ワーケーション」に本質的な違いはありません。なぜなら、**今の自分に最適な「場所」と「時間」を自らデザインする手段であるという点において、まったく同じだからです。**

こう書いてしまっては元も子もないかもしれませんが、今、住んでいる「自宅」が自分にとって最高に心おどる場所であれば、わざわざ出かけていく必要はないのです。地球上で一番好きなその場所で、一番自分が満たされる「時間」の使い方をデザインすればいいのです。くれぐれもこの本を読んで、「旅に出なければ、人生の主導権を取り戻せないのだ……」という強迫観念を持たないでください。

テレワーク人口は4倍近くに増えている

2020年春からこの本を書いている2021年夏までの間に、かつて考えられなかったほどたくさんの人が、「場所」と「時間」を自分でデザインする自由を手にしました。

新型コロナウイルスの蔓延が始まる前、日本の企業のテレワーク実施率はわずか8.8%でした（2019年12月時点）。それが、2020年4〜5月には32.8%まで増加、そのあとはやや下降して、2021年1〜2月には25.4%。業界別に見ていくと、トップは情報通信業の54.7%で、金融・保険業が35.6%、製造業が30.5%、不動産業が29.5%と続きます*。ニュースでは、「国が求める7割テレワークからは程遠い」と批判されることもありますが、それでも「コロナ前」と比べたらテレワークが身近な選択肢となった人が驚くほど増えたのです。

ワクチン接種も始まったことで「出社組」に戻ってしまった人でも、緊急事態宣言中はテレワークを経験した人が相当数いたと思います。コロナ前なら会社の方針としてテレワークは絶対にありえなかったけれど、やってみたら「意外にできた」「あっさり実現した」と拍子抜けした人も少なくなかったでしょう。

実際にテレワークをやってみて、どうでしたか？

在宅だとダラダラしてしまって、仕事が思うほどはかどりませんでしたか？逆についつい仕事に没頭してしまって、結局起きている時間のほとんどをパソコンに向かってしまっていましたか？

同僚やチームメンバーとの会話が減って、プロジェクトが停滞してしまった。あるいは、メンバーの数人がメンタルバランスを崩してしまったというネガティブな声もあるでしょう。

---

* リクルートワークスによる「全国就業実態パネル調査」

逆に、対面での対人ストレスが減った分、気分が軽くなったという人もいるでしょうし、必要なことだけテキパキやりとりする、ビジネスチャットでの会話の方が性に合っていたと感じた人もいるでしょう。通勤時間がなくなった分、その時間を好きな趣味や勉強に充てられるようになったというポジティブな声もあります。

いずれにしろ、メリットとデメリットが人それぞれにあったと思います。そして、ある人にとっての「メリット」は、別の人にとっての「デメリット」であったかもしれませんし、その逆もまた然りです。つまり一概にテレワークのメリットはこれで、デメリットはこれ、と言えないわけです。

「メリデメを天秤にかける」という発想を捨てる

同じように、ワーケーションにも「メリット」と「デメリット」があります。長距離の物理的な移動を、ある人は「楽しい」と感じるかもしれませんし、別の人は「疲れる」と感じるかもしれません。初めて訪れる旅先で遭遇するいろいろな不便を、「これぞ旅の醍醐味！」と積極的に楽しもうとする人もいれば、「ただただストレスなだけ」という人もいるでしょう。

テレワークにしろ、ワーケーションにしろ、新しいものを社会の中で実践しようとすると、すぐにそれぞれの「メリデメ」を洗い出し、メリットがデメリットに勝るかどうかの議論が始まってしまいます。でも、それは誰にとっての「メリデメ」なのでしょう。

「メリデメ」を天秤にかける。

この発想も、脱ぎ捨てた方がいい過去のフォーマットの一つかもしれません。例えば、「社外の人材を社内プロジェクトのメンバーに入れることは、チームが活性化していいが、情報漏洩などのセキュリティ上の問題がある」という話を考えてみましょう。でも実際には、「情報漏洩などセキュリティ上の問題がある」は「デメリット」ではなくて、何らかの方法で解決してしまえばいい「ハードル」です。そして「チームが活性化する」は、「メリット」ではなく「叶えたいこと」です。かつて「メリデメ」で捉えていたことを、こんなふうに置き換えてみると、眺めがガラリと変わりませんか？

新型コロナウイルスの蔓延はたくさんの悲しみと苦しみを私たちに与えましたが、それは同時に、「場所」と「時間」を他でもない自分のためにデザインし直す自由ももたらしました。現時点では、その自由はまだ一部の限られた人しか手にしていないかもしれません。それでも、その数は以前に比べて圧倒的に増えましたし、今後この流れは時間をかけて社会のスタンダードになっていくはずです。

ワーケーション、テレワーク、リモートワーク、その他にも最近では出張と休暇を組み合わせたブリージャー、トラベルワークと、新しい言葉が続々と生まれていますが、本質は変わらないと思います。「場所」と「時間」を自分が望む形にデザインし、人生の主導権を取り戻すこと。ただ、それだけです。

山口周さんコラム❷

たくさん移動して「心が動く場所」を見つけよう

「場所」を変えることは、自分に揺さぶりをかけることでもあります。

僕も長崎県・五島列島は好きな場所の一つで、これまで何度か訪れています。最初に訪れたのは2018年の夏。序文にも書いたようにたまたま五島列島の風景の載った写真集を見て「行きたいなあ」と思ったのがきっかけでした。写真から感じ取れる土地の“匂い”のようなものはありましたが、実際に訪れてみると、自分の中に入ってくる情報の解像度が全然違いました。入り江に囲まれた遠浅の海を眺めながら、そして土地の人の話を聞きながら数日を過ごすうちに、自分がいかにわかったつもりになっていただけだったのかに気づきました。

知らない土地に出かけていき解像度の高い情報を取り込むと、自分の中にいろいろな感覚が湧き上がってきます。自分はやっぱりこういうのが好きだな、とか。逆にこういうのはあんまり好きじゃな

LIFE INITIATIVE
Column:02
Shu Yamaguchi

いんだな、とか。一番ホッとするのは、こういう瞬間だな、とか。英語に「being settled」や「sense of belonging」という表現があります。ニュアンスが難しいですが、日本語に訳すと「自分が本当にいるべき場所はここであるという感覚」となるでしょうか。旅をしていると、そういう感覚に遭遇できることが稀にあります。

環境アクティビスト、マット・ジェイコブソンさんが、環境保護活動で知られるアウトドア用品メーカー、パタゴニアの報告書に寄せていたエピソードがとても心に残っています。

ジェイコブソンさんは、大学卒業後、まだ自分が将来何をやるかわからないという状況のときに、たまたま友人から全長約3500kmもあるアパラチアントレイルを一緒に歩かないかと誘われます。そして何か月もかけて歩いている際に、人生で初めて一点の疑いもなく「自分のいるべき場所はここだ」と明確に感じます。当時、アパラチア山脈ではものすごい勢いで伐採が行われ、環境破壊が進んでいました。ジェイコブソンさんは、環境アクティビストになることを心に決め、今もアパラチアで活動をしています。

ジェイコブソンさんはもともと特に自然志向だったわけでもなく、20代のそのタイミングでたまたまアパラチアという場所を訪れたことが、人生における契機となりました。他の山では、そこまで強烈な体験をすることはなかったでしょう。いろいろな要素がシンクロして、「自分のいるべき場所はここだ」という感覚が鮮明に自分の中に湧き起こったわけです。

こういう体験をできるかどうかが、人生において決定的に重要だと思います。魂が呼ばれるような場所で生きていけるかどうかが、その人の人生の質を決めるのです。

でも、出かけていく前から「あそこが自分のいるべき場所である」とわかる人はいないでしょう。魂が呼ばれるという感覚は、事後的にしかわかりません。ですから、できるだけたくさんの「場所」を試してみることをおすすめします。いきなり引っ越すのはコストがかかりすぎますから、休暇ごとに旅に出てみたり、今なら仮住まい的な住居のサブスクのようなサービスも増えていますから、それを活用するのもいいでしょう。ダーツを投げるようにいろいろな場所に出かけていって、しっくりこなければ、また別の場所に移ればいいのです。

「心の動く場所」が人生を大きく変える

場所を移すことは、自己を発見する契機でもありますし、同時にアンテナを下げないための揺さぶりの機会でもあります。

こうして、人生の前半は魂が呼ばれる場所を探して移動を繰り返しながら、人生の後半でセトルする（落ち着く）場所を見つければいいのです。もちろん、人生の後半に差しかかってから、「自分のいるべき場所はここだ」と思えるところを探し始めても遅すぎるということはないでしょう。とにかく探そうとすること、移動して自分に揺さぶりをかけ続けることが大切だと思います。

どこが、自分にとってセトルする場所になるかは、本当に人それぞれです。

僕の場合、「東京は飽きた」と感じて約60km離れた神奈川県の葉山に移住しましたが、反対に世界中のいろいろな都市に住んでみて最終的に「東京が一番いい」と感じている外国人の友人も何人かいます。

パリ出身のフランス人の友人も、ロンドン出身のイギリス人の友人も、ヨーロッパ、アメリカ、アジアの各都市に滞在してみて、最終的に「戻りたいと感じた場所が東京だった」と、今でもとても快適そうに暮らしています。

彼らの話を聞いていると、どの

場所がその人にとってセトルする場所なのかは、本当に人それぞれなのだな、と感じます。

日本のメディアでも最近よく取り上げられている、ドイツ人のカール・ベンクスさんという人がいます。ベンクスさんは、たまたま紹介されて訪れた新潟県十日町市の竹所（たけところ）集落に一目惚れして移住し、現在は建築家として空き家になっている古民家の再生を手がけ、人口減少から廃村の危機にあった村に人を呼び込むことに寄与しています。

世界中いろいろな場所を見てきたベンクスさんですが、竹所集落を訪れたときに「こんなところは他にない！」と心を打たれてしまったわけです。集落を離れた途端、すぐに戻りたくなってしまったそうですから、まさに彼にとって魂の呼ばれる場所だったのでしょう。

心が動く場所を見つける。すべてはそこから始まります。そして次に誰と何をするかを考える。それが本来の順序ではないでしょうか。ところが、多くの人はその順序が逆転してしまっています。例えば、「仕事があるからその土地に住む」という場合、「場所」よりも先に「何をするか」が来てしまっています。本当は「どこに住むか」が一番大切なのです。

自分の人生の「ロケハン」に出よう

ただ、「場所」を決めようにも、ほとんどの人はオプションをあまり持ち合わせていないのかもしれません。自分が生まれ育った場所、大学などの学校に通った場所、就職した会社のある場所、そして自宅のある場所くらいしかサンプルがないという人が、たくさんいるのではないでしょうか。でも、それだけでは、自分の人生をデザインしていくにはあまりに材料が少なすぎます。

小説家は、小説を書くときにロケハンをします。映画やドラマの脚本を書くときもそうです。これから描こうとしている主人公は、どこの出身で、今どこに住んでいて、そこでどんな仕事に就いて、どんなライフスタイルを送っているのかを、実際に土地を訪れロケハンしながら決めていきます。

実は、自分のこれからの人生を思い描いていく際も同じです。

すぐにはピンとこないかもしれませんが、本当は、私たちは自分の人生という一人称の小説の書き方について、パーフェクトフリーダムを手にしています。さまざまな制約があると思うかもしれません。でも、実際には完全に自由なのです。本来はどこに住んでもいいし、どんな仕事に就いてもいいのです。

ところが、そういう自由が自分にはないとほとんどの人は思い込んでしまっています。「駅から徒歩10分のマンションだから住む」「職場に乗り換えなしで行ける〇〇線沿線の特急が止まる駅だから住む」という設定では、わくわくする物語になる予感がしませんよね？思い描くだけでわくわくするような物語、読みたくなるような（つまり生きたくなるような）物語とは、何だろう？どの場所で営まれる物語が、素敵な物語になりそうだろう？そういう視点を持って「場所」を探してみるのはどうでしょうか。

「この場所は魂が呼ばれる」「ここで生きていきたい」「どうしても戻りたくなる」というふうに敏感に感じ取る能力は、筋肉と同じで使わずにいるとどんどん痩せ細ってしまいます。心を動かす能力が摩耗しないように、時々ロケハンに出かけてみてください。

第３章

「偶発性」を
味方につけると、
人生が動き出す

人生の転機は「偶然の出会い」から始まる

あなたの生活はアルゴリズムに支配されている

ここまで読んでいただいて、自分にとって「正しい場所」を見つけることの大切さ、そこに紐づいたワーケーションの本質についてはだいたい理解していただけたと思います。この章では、それを踏まえた次のステップを紹介していきます。キーワードは「偶発性」です。

新型コロナウイルスが蔓延して、テレワーク（リモートワーク）が定着したことで大きく失われたものがあります。

それが「偶然の出会い」です。

新型コロナウイルスの蔓延が本格化した2020年春以降、新しく知り合いになった人はどのくらいいますか？仕事相手、チームのメンバー、趣味やサークルの仲間、恋人などなど、順番に思い出してみてください。そして、その数は「コロナ前」と比べてどうですか？なかには「新しい出会いが数え切れないほどある」「コロナ前よりハイペースで知り合いが増えている」という人もいるかもしれませんが、大半の人は「新しい出会い」がほとんどなかったことに気づいて愕然とするのではないでしょうか。

気づけば毎日オンラインで、同じメンバーとチャットをしたり会議をしたり。たまに新卒の新しいメンバーが加わったり、異動でメンバーが入れ替わったりすることもあるものの、基本は同じ顔ぶれ。あとは家族と過ごして、たまに以前からの知り合いと「久しぶりー！どうしてた～？」などというやりとりを交わす程度。すでに親密だった人とは、さらに絆が深まる機会となったかもしれませんが、思いもよらない人と偶然知り合う機会は、すっかり失われてしまいました。

さらに言えば、人との出会い以外にも、**あらゆる「偶発的な出会い」が激減してしまったはずです。**スマホでSNSを開けば、過去の閲覧履歴にしたがってアルゴリズムがおすすめの情報をホーム画面に流してきますし、テレビやパソコンで動画コンテンツを視聴するにも、「あなたとのマッチ度98%」というレコメンドにしたがって次に観る作品を決めてしまうことが多いでしょう。

また、外出自粛で書店にふらっと出かけることも減りました。本もだいたいごく身近な人や、SNS上の「友達」、お気に入りのブロガーの書評などを通してその存在を知り、ネットで購入するパターンが増えました。そうすると、購入後「この本を買った人にはこちらもおすすめ！」という次のレコメンドに目がいき、カートに入れるとまた次のレコメンドが来る……という循環に入ります。

「こんなニュース、映画、本があるなんて、知らなかった！アルゴリズム、ありがとう！」という新鮮な驚きももちろんありますが、**よく考えてみると、どれも「過去の自分」が選択したものに基づいて「次の出会い」が決められています。**つまり、大げさな言い方に聞こえるかもしれませんが、「今の自分」がこれからやろうとすることがいちいち「過去の自分」の選択によって左右され、「未来の自分」が形づくられていくわけです。そこに「偶然」が入り込む余地はあまりありません。

「過去の自分」から一歩も外に出られない。それって、考えてみると、結構怖いことだと思いませんか？あとから振り返って、「成長したな」「人生、変わったな」「泣くほど感動したな」と思える出来事は、往々にしてそのときの自分からは逆立ちをしても出てこなかった「偶然」によって引き起こされているものです。人は、「今の自分」がどう頑張っても想定しえなかったものに遭遇したとき、心が震え、気持ちが動かされます。

先の見えない時代に強い人材

ここから先は、旅先での「偶発的な出会い」がなぜ大切か、どんなワーケーションなら「偶発的な出会い」を最大化できるかについて詳しく説明していきます。「偶発的な出会い」による、思いもよらない心の揺さぶり。これを、特に普段バリバリ仕事をしているビジネスパーソンこそ必要としていると、私たちは感じています。

ビジネスの世界では、物事を緻密に想定すること、その想定に基づいて確実に計画を組み立てること、そして計画にしたがって着実に実行することが当然ながら求められます。つまり不確定な「偶発性」を極限まで減らして、確実に成果を出すことが、今のビジネスにおける王道です。

でも、これからの世界は、誰もが肌で感じているように本気で先が見えなくなりつつあります。ビジネスの世界では最近、Volatility（変動性）、Uncertainty（不確実性）、Complexity（複雑性）、Ambiguity（曖昧性）の頭文字をとってVUCA（ブーカ）の時代とさかんに言われていることは、皆さんもよくご存じの通りです。

ということは、**「過去のビジネス」の成功体験に基づいている「今のビジネス」から少しずつ、片方の足だけでも踏み出して「未来のビジネス」への布石を打っておかないと大変なことになります。**「今の自分」の力だけでは引き寄せられない「偶然の出会い」を重ね、偶発性をいつでも味方につけられるトレーニングを積んでおく必要があります。その意味でも、ビジネスパーソンの方にこそ、「偶然の出会い」を求めてワーケーションに出かけていくことを強くおすすめするわけです。

現時点で、ほとんどの企業はワーケーションを取り入れる積極的な理由を見いだせていません。自然に囲まれた環境で仕事をすれば、気分もリフレッシュして生産性が上がる、というのはなんとなくわかる。でも、そのメリットだけでは、「勤怠管理をどうするの？」「セキュリティは守られるの？」「労災はどうするの？」といった制度上の種々のハードルを越えてまで推し進められないと二の足を踏んでいる。それが企業の本音です。

次のページの2つのグラフを見てください。

どちらも、テレワーク導入企業の会社員323人を対象に2020年8月に実施されたアンケート調査*です。1つ目のグラフで約6割の人が「ワーケーションに興味がある」と回答したのに対して、2つ目のグラフでは約7割の人が「自社でワーケーション制度が導入される確率は低い」と回答しています。

また同時期に全国47都道府県に在住する20〜69歳の就業者4342人を対象した調査**でも、「ワーケーション制度を導入している」と回答した企業はわずか7.6%、「導入する予定がある」も2.6%しかありません。ビジネスパーソン個人としては「やってみたい」。でも、企業としては「あまり積極的ではない」。そんな温度差がはっきりと見て取れます。

でも、この「偶発性」の要素をしっかりと組み込むことができれば、企業がワーケーションに積極的になる理由は十分にあります。第4章で詳しく書くように、すでに国内のいくつかの企業は、ワーケーションに可能性を見いだして動き出しています。なかには「コロナ前」から力を入れている企業もあります。

---

* We'll-Being JAPAN、日本旅行、あしたのチームの3社が共同で実施したインターネットによるアンケート調査

** クロス・マーケティングが実施したインターネットによるアンケート調査

Q1. あなたは、観光地やリゾート地で休暇と仕事をうまく切り替えながら行う、「ワーケーション」制度の取り組みについて、興味がありますか。

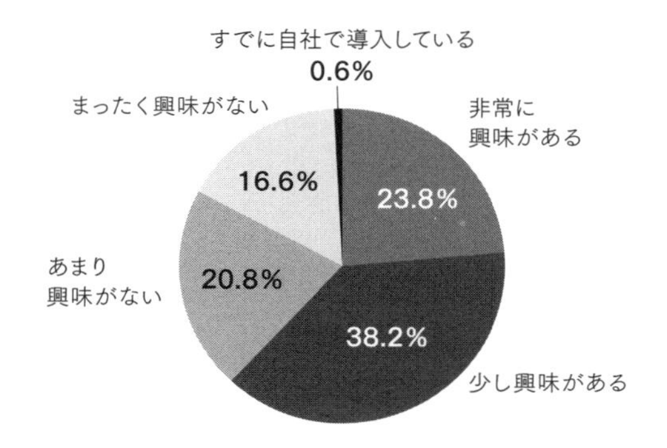

約6割の会社員がワーケーションに興味

Q2. あなたの働く会社で、将来的にワーケーションが導入される確率は高いと思いますか。

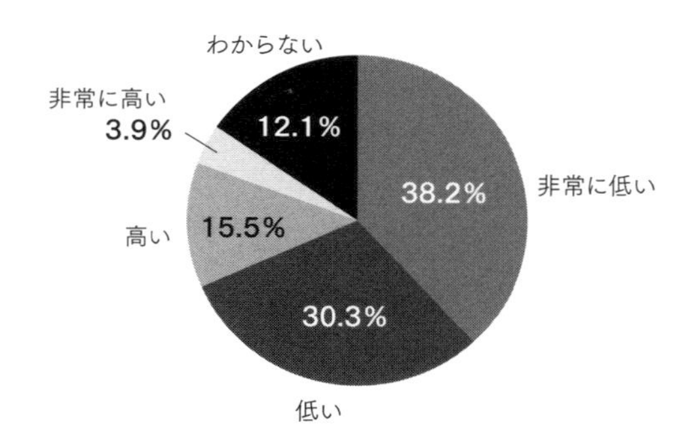

約7割が自社でのワーケーション導入の確率は低いと回答

旅先での「出たとこ勝負」が、人生の幅を広げる

ワーケーションにおいて、なぜそれほど「偶発性」が大切なのかについて、もう少し踏み込んで説明したいと思います。ひと言で言えば、その理由は、**旅の中にふんだんに「偶発性」を盛り込むことで、予期せぬ豊かな刺激と出会い、それにより人生の幅が押し広げられていく**からです。つまり自分の中に染み込んだ「フォーマット」を脱ぎ捨て、「未来の自分」を生きていくための素地が作られていくのです。

では、具体的にどうやってワーケーションに「偶発性」を取り入れていけばいいのでしょうか。

例えば、スケジュールの組み方。車で1時間ほどの場所に行くのか、飛行機を乗り継いで何時間もかかるような場所まで足を延ばすのかによっても変わってきますが、1泊2日の弾丸スケジュールを組んだり、出発前からぎっしり旅程を詰めたりするのではなく、少なくとも3泊以上、できれば1〜2週間ほど時間をたっぷり確保して、**旅先に着いてからある程度「出たとこ勝負」で過ごし方を決められるような「余白」を残しておく**ことをおすすめします。

現地でたまたま出会った人に教えてもらった情報をもとに行動してみたり、同じくワーケーションに来た人同士で意気投合して一緒に何かをしてみたりする「偶発性」に身を委ねることも、ワーケーションの醍醐味です。そうした「偶発性」こそが、これからの時代の生き方や働き方のヒントになる豊かな情報をふんだんにインプットしてくれます。

また田舎であれば、「バスがほとんど来ない」「天候不良ですぐに交通がストップする」「タクシーを呼んでも時間がかかる」といった、**地域特有の不便さえ楽しめるくらいの心の余裕があれば、より充実したワーケーション体験ができます**。偶然遭遇する「不便」も、旅先だからこそ

味わえる貴重な体験です。
どんなサービスもアプリ一つで手配できる都市部からやってきた場合、そうした「不便」はかえって新鮮に映ります。「なぜ、バスが来ないのか？」「地元の人はどうやって移動しているのか？」「何があれば、この不便は解決されるのか？」。普段いろいろな企画や事業のネタを考えているビジネスパーソンであればなおさら、旅先で不意にぶつかるそうした問いが、好奇心をくすぐる宝の山に見えるはずです。

例えば、五島列島はまさにそういう場所です。働き盛りの20代、30代を中心に年間200人超が移住する人気Uターン、Iターン先であるにもかかわらず、世帯月収は15万〜20万円程度というケースがほとんど。移住前はマーケターやシステムエンジニアをしていた人が、料理人になったり、ゲストハウスの経営をしていたりと、まったく異なるキャリアをゼロから始めている場合も多々あります。
そうした地域の人から、「それでも貯金ができる」「移住前より楽しい」「田舎ならではの苦労はいろいろあるけど、もう前の仕事に戻ろうとは思わない」といった話を聞くと、お金や幸福度に関する自分の中の価値観に変化が生まれます。
家族のあり方についても、同様です。夫婦と子ども二人でワーケーションに参加して、普段は家事と育児を妻に任せがちな夫が、妻がテレワークをしている時間、子どもたちを連れ出して面倒をみる。ただそれだけのことでも、人生の幅は広がるかもしれません。
街中での公園遊びには興味を持てなかった夫が、釣りや山歩きなどアウトドア・アクティビティなら子どもと一緒に夢中になってやっている。「育児は夫にやらせるより、自分がやった方がラク！」と諦めきっていた妻が、「やらせてみたら、意外にできた。しかも夫も子どもも楽しそう」と肩の力を抜くような場面も実際にありました。そこに地域の親子も加われば、さらに受ける刺激は大きくなります。

地方には、「都会で子どもを育てるのはちょっと……」という理由でUターン、Iターンした人も少なくありません。そうした親御さんと会話をすることで、家族のあり方について見つめ直す機会になります。

私たち一般社団法人みつめる旅がワーケーションを企画・運営する際にはいつも**「Enjoy Happenstance!（偶発性を楽しもう！）」**の理念を、過ごし方の端々に織り込むようにしています。旅程の組み方、旅先での過ごし方、予期せぬハプニングが起きたとき、不便に遭遇したとき、あらゆる場面で「偶発性」を積極的に楽しんでほしいと、参加者の皆さんにも案内しています。読者の皆さんもぜひ心の片隅に「Enjoy Happenstance!」の合言葉を忍ばせて、ワーケーションに出かけてみてください。

仕事は「日常のWORK」以上に「非日常のWORK」を大切に

ワーケーションの「VACATION」の部分はもちろんのこと、「WORK」の部分に関しても、楽しく「偶発性」を引き起こしていく余地はふんだんにあります。

ひと口に「WORK」といっても、どんな「仕事」をするかにはいくつかパターンがあります。よく「ワーケーション」という言葉とセットで、オーシャンビューのワークプレイスや緑に囲まれた森の中でパソコンを開いている場面が紹介されますが、実際にどんな「WORK」をしているかについては、高解像度で語られることがあまりありません。

ワーケーションにおける「WORK」には、大きく分けて次の3つがあります。

①普段やっている仕事を同じようにする
②普段できない仕事をする
③次の仕事のネタを探す

①は一番イメージがしやすいWORKだと思います。つまりいつも通りのルーティンワークを、いつもと同じような環境ですることです。コロナ禍で急速に普及したSlackやChatwork、Teamsなどのコミュニケーションツールでチームメンバーと連絡を取り合いながら仕事を進めるのが、すっかり日常になっている人も多いでしょう。ミーティングや会議にもZoomやGoogle Meetで普段通りに参加します。マネジャー職や管理職など、部下やチームメンバーを持つ立場にあれば、進捗確認やフィードバック、評価などの業務もここに含まれます。

①をスムーズにこなすには、普段のワークスペースと限りなく近い環境が必要です。つまり「電源があってパソコンが使える」「身体がつらくならないデスクやイスがある」「速度が十分で安定したWi-Fiがある」「プライバシーが守られるブースや個室がある」「オンライン会議がしやすいマイクやモニターがある」などの条件が整っていて、日常業務が滞りなく進められることが必須です。ワーケーションに取り組んでいる地域ではたいてい、ホテルや旅館に執務スペースが併設されていたり、コミュニティスペースや廃校を利用したコワーキングスペースが開業されたりしています。

まだまだこれから整備に取りかかるところで「Wi-Fiの速度が遅い」

「共有スペースだけで個室がない」など、不便な場所もありますが、現在ふんだんに国の補助などが投入されているので、早晩こうした設備は整い、どこでも不自由なく「ルーティン」をこなせるようになるでしょう。

②は、普段①に時間とエネルギーを取られて、「やらなきゃ」と思いながらもなかなか着手できずにいるようなWORKです。例えば、「仕事仲間やチームメンバーとじっくり議論をする」「新規事業の企画やビジネスモデルを考える」「資料やデータを読み込んで頭の中にインプットする」などが挙げられます。

①をこなすにはWi-Fiなどのオフィス的な環境が必須ですが、②に関しては、必ずしも①のような環境は必要ではありません。むしろ、Wi-Fiどころか電波も入らずスマホも見られないような環境で、集中して考えたり、話したり、読んだりできる方がはかどるくらいです。

①と②が「今の仕事」であるのに対して、③は「未来の仕事」です。編集者、クリエイター、プランナーなど何かを企画する仕事に就いている人であれば、次の仕事に繋がりそうな新しいネタを仕入れる。事業を立ち上げる立場にある人であれば、新規プロジェクトを考えるためのネタを探す。はたまた、今は本業一本だけど副業や複業をしてみたいという人が、「これなら自分の特技を活かしてできそう」「本業と掛け合わせたら楽しそう」と思える、パラレルキャリアのヒントを見つけるというケースも、③に入ります。

充実した形で③のWORKをするには、ワーケーションの中に「ネタと遭遇するための余白」が必要になります。例えば、同じくワーケーションをしに来た人と一緒に食事をしたり、釣りやトレッキングといったアクティビティを楽しんだりして、コミュニケーションをとってみる。その地域の課題と日々向き合っている役所の人と交流してみる。小さな商店やコミュニティカフェで居合わせた地元の人と、ゆっくり話し込んでみる。そんなふうに、普段通りルーティンを回す生活をしていては絶対に出会えない人と進んで接点を持ち、言葉を交わし、予期せぬ新鮮な刺激を取り込むための「余白」です。

ワーケーションにおけるWORKを語る際、①の「日常のWORK」に偏りがちです。でも、わざわざ遠く離れたところまで旅に出て、そこで仕事をするなら、②と③の「非日常のWORK」の比重を高めた方が意味があります。

もっと言えば、**①の比重は必要最低限に抑えて、②と③に時間を割くことを意識した方が、「わざわざ出かけていった意味」を実感できるいいワーケーションになります**。また今後、企業がワーケーションを積極的に導入するかどうかも、この②と③の機会をどれだけ充実できるか、つまりWORKにおいても「偶発性」を起こせる可能性をどれだけ高められるかにかかっているといっても過言ではないと思います。①だけでは、企業が社員をワーケーションに送り込む意味がうすいのです。

「いいワーケーション」の4つの基準

初挑戦でも失敗しないために

ここまで読んでいただいて、ワーケーションにおける「偶発性」とは何を指しているかをだいたいイメージしていただけたでしょうか？この他にさらに進化系の「偶発性」を起こす仕掛けもあるのですが、それは第4章に譲るとして、次は「偶発性」を最大化させるワーケーションの条件についてまとめていきたいと思います。

結論から先に言ってしまうと、その条件を考える際の基準はだいたい次の4つに分けられます。

基準❶	ハードとソフトのバランス	「通信環境の整ったハコモノ」以外の内容も充実しているか
基準❷	価値観の異化レベル	「日常では味わえない多様な刺激」が受けられるか
基準❸	参加者の能動性レベル	「自分から動ける人」がたくさん参加しているか
基準❹	地域との協業レベル	地域の人や企業も関わり、その土地固有の魅力が味わえるようになっているか

第4章で述べるように、ひと口に「ワーケーション」といっても、その内容はさまざまです。ここで紹介する4つの基準は、基本的にどんなワーケーションであっても適用できるものと考えていただいて大丈夫です。ワーケーションに行く前の準備段階で参考にしていただくのはもちろんのこと、ワーケーション後にレビューや評価をする際の拠り所としても活用してください。

ワーケーションはまだ成熟していない市場です。ワーケーションをする人が、「こういうワーケーションは楽しい」「こういうワーケーションはつまらない」という評価軸を自分なりに持ってフィードバックし続けることで、市場のレベルは次第に高まり、数年後には一つのワークスタイルとして社会に定着するはずです。

「こんなワーケーションこそ、理想のワーケーション！」という形を、みんなで楽しく模索して見つけていきましょう。

では、それぞれの基準について順番に見ていきます。

基準❶：ハードとソフトのバランス
「通信環境の整ったハコモノ」以外の内容も充実しているか？

ワーケーションというと、通信環境の整ったワーキングスペースが不可欠と思われがちですが、実はそうとも限りません。

実際にワーケーションを企画・運営している立場からいうと、**「通信環境の整ったハコモノ」はワーケーションの必須条件ではありません。** 実はなくても「いいワーケーション」は成立します。「Wi-Fi環境の整ったコワーキングスペースや執務スペースがないとワーケーションにならない」という発想が根強くありますが、実際には「あれば便利だけど、なくても大丈夫」です。

その地域で不自由なく使えるポケットWi-Fiをレンタルして、移動する先々でパソコンを開いて仕事をするというスタイルもあるでしょうし、ホテルの各部屋のWi-Fi環境さえしっかりしていれば、オンラインの会議や商談も支障なく進められます。また、先に書いたように、ワーケーション中は思いきってルーティンワークから離れ、普段できない仕事に集中するというWORKの仕方もあります。その場合、あえてオフラインで過ごすという選択をした方が集中力が高まり、思考も深まるでしょう。

ワーケーションに限らずどんなハコモノも同じですが、そこでどんなふうに過ごしたいか、次第なのです。

- 「WORK（仕事）」と「VACATION（休暇）」をどんな比率にしたいか

- 一日何時間くらい「WORK」に充てたいか
- 「日常のWORK」と「非日常のWORK」をどんな比率にしたいか
- 「非日常のWORK」は、どんな環境があれば一番はかどりそうか
- 「VACATION」の部分で、今一番したい体験は何か

このあたりの問いに対する自分なりの答えを、ワーケーションに出る前にちょっと考えておくことをおすすめします。もちろん実際に行ってみて「やりたいことが変わった」「もっとVACATIONに割かないともったいないと思った」「ビーチで企画書を書こうと思っていたけど、屋内の方が集中できることがわかった」というふうに気が変わることはあるでしょう。そういうときは、柔軟に過ごし方をチューニングしていけばいいのです。

では実際に、次の4つの問いに答えてみましょう。例をヒントにして、自分に当てはめてあとで考えてみてください。

「WORK」と「VACATION」をどんな比率にしたいか

【例】コロナで旅行に行けない期間が続いたので、VACATIONの部分を多めにして、「WORK：VACATION＝4：6」くらいで過ごしたい。

一日何時間くらい「WORK」に充てたいか

【例】普段の平日は、朝10時から18時くらいまで8時間ほど仕事をしている。今回は友達と二人で行くので、仕事に充てる時間は、少し減らして一日5〜6時間にしたい。

「日常のWORK」と「非日常のWORK」をどんな比率にしたいか

【例】ずっと在宅勤務なので時間の切り替えが難しく、ルーティンワークをしているうちに一日が終わってしまう。ワーケーション中は、今度社内で募集される新規事業プロジェクトのための企画書を作りたい。なので、ルーティンワークは最低限に抑えて「日常のWORK：非日常のWORK＝3：7」くらい。

「非日常のWORK」は、どんな環境があれば一番はかどりそうか

【例】オンラインの環境だと、社内のチャット通知を見て返事をしてしまったり、検索するついでにネットサーフィンしてしまう。一日2〜3時間はオフラインにして、事業計画をしっかり練りたい。また一緒に行く友人は同業者で仕事の壁打ち相手でもあるので、相談しながら企画書を磨き上げたい。Wi-Fi環境の有無よりも、ルーティンワークから気持ちが切り替わる場所であることが大事。

「VACATION」の部分で、今一番したい体験は何か

【例】一緒に行く友達が釣り好きなので、釣りにチャレンジしたい。これまで堤防釣りしかしたことがないので、友達に教えてもらいながら船釣りで鯛を釣りたい。あとは、料理好きなので、地元の食材を探求しにスーパーや市場、農家の直売所を覗きに行きたい。

大切なのは、他でもない「自分がこういうふうに過ごしたいと思った」という点。繰り返しになりますが、ワーケーションは、今後のライフスタイルやワークスタイルを自力でデザインしていくための、最初のトレーニングですから、「自分が◯◯したいと思う」という内発性を無視せずに上手に掬い上げるようにしてください。

実は、本書を書いている2021年夏時点で、国の助成金を活用してコワーキングスペースやテレワーク施設を改修・新設する動きが全国的にとても盛んになっています。またホテルや温泉宿などの宿泊施設に、執務スペースを増設したり、各部屋をワーケーション仕様に改修したりするための各種補助も投じられ、着々と準備が進められています。

そうしたことを背景に、コロナ収束後は続々と真新しいコワーキングスペースやテレワーク機能の充実した宿泊施設がオープンするでしょう。ユニークでおしゃれな施設も、すでに全国にいくつも存在しています。

もちろん、こうした素敵な場所を訪れてみたい！という動機からワーケーションにチャレンジしてみるのもアリです。ただ、同時に意識していただきたいのが、コワーキングスペースや宿泊施設といった「通信環境の整ったハコモノ」以外の内容も充実しているか、という点です。つまり、**「ソフト＝体験」の部分も充実していて、その場所ならではの刺激が受けられそうかという点にも留意して旅先を選んでいただきたいのです。**詳しくは次の「基準❷」で説明していきます。

基準❷：価値観の異化レベル
「日常では味わえない多様な刺激」が受けられるか

この2つ目の基準が、実は何より大切です。

皆さんは旅先で過ごしているうちに、それまで心にわだかまっていた日常のことが「なんか、どうでもよくなっちゃった」と吹っ切れた経験はありませんか？小さなことを事細かく指摘してくる上司のこと、嫉妬心をあおってくるライバル社員のこと、はたまたお金の心配や家族の揉めごと……。旅から戻れば相変わらずの環境に身を置くことになるにしても、旅に出る前より「気持ちがラクになった」「それほど心を乱されなくなった」と感じた経験はありませんか？

もしあれば、それは一種の「異化（いか）」の体験です。「異化」は聞きなれない言葉だと思いますので、簡単に説明しておきます。

私たちには、日常生活の中で頭のてっぺんから足の爪先まで浸かりきってしまっている特定の価値観があるものです。例えば、「時間は守らなくてはいけない」「サービスや商品はしかるべき対価を払うもの」「平日は仕事をするもの」「人に迷惑をかけてはいけない」「仕事ができる人は尊敬に値する」などなど。そうした日頃無意識のうちに埋没している価値観を、一度突き放して客観視することを、心理学の用語で「異化」と呼びます。

そして、**この「異化」の体験を味わったとき、人は「見える世界が広がった」と感じます。**仕事のこと、お金のこと、家族のこと……自分には目の前の選択肢しかないと思い込んでいたけれど、実は他にもいろいろな選択肢が現実的なものとしてあったのだ。そういう気づきをワーケーションを通じて得ることで、人生の幅は確実に広がっていきます。

例えば、都市部で生活していると、たいていのものはお金を払って手に入れることができます。身体をメンテナンスするためのトレーニングも、子どもの面倒を見てもらうためのシッターサービスも、食事づくりやその他こまごまとした用事をやってくれる家事代行サービスも、オーガニックの新鮮な野菜も、産地直送の旬の魚介も、欲しいものはほぼすべて「お金」を媒介にして手に入れています。

そうした環境の中で日常生活を送っていると、「何でもお金を払えば手に入る」「だから、お金が大事」という価値観が、思いのほか深く根を下ろしているものです。「お金より大事なものがある」ということを頭では理解していても、日々決断や選択をする際には「お金」に引っ張られています。

「今より稼げないかもしれないから、転職や独立に踏み出せない」「副業っていっても、それでいくら稼げるの？」というふうに、知らないうちに人生のいろいろな局面で「お金」に思考が引きずられてしまうのです。

この**「お金」に関する価値観をいったん「異化」するにも、ワーケーションはまたとない機会となります**。特に、島や山間の地域などまで出かけていくと、企業がその地域ではサービスを展開していなくて「お金があっても買えない」、あるいは「都市部ではすごい値段がつきそうなものが、タダ同然」という事態にときどき遭遇します。

都市部の飲食店であれば一皿3000円は下らないと思われる新鮮な高級魚の刺身が、「えっ？」というほどお手頃な値段で出てきますし、釣りに出かけて大物高級魚が釣れても、地元の人は「(いくらでも釣れるし、いつでも食べられるから) 要らない……」という反応だったりします。

無意識的に万能だと思っていた「お金」がまったく意味をなさない。旅先でたまたま遭遇するさまざまなシーンで、そのことに気づいてハッとさせられます。それですぐに人生が劇的に変わることはなくても、ワーケーション中に小さな「異化」が積み重なれば、人生を形づくる価値観は徐々に変化していきます。

特に**普段都市部に住み地方までわざわざ出かけていってワーケーションをする場合、ぜひ「お金では買えない価値」との遭遇を楽しんでいただきたい**と思います。

温泉の湧くラグジュアリーな宿で贅を尽くした料理を堪能して、「自分へのご褒美」としてスパやエステで癒やされたあと併設されているコワーキングスペースで仕事をしてという体験も、もちろん素敵ですが、そうした体験は、実は都市でもお金さえ払えばできてしまいます。わざわざ遠くまで出かけるならプラスアルファの体験があると、もっと充実します。

　また、昔からリゾートとして定評のある首都圏近郊の軽井沢、箱根、伊豆地方、房総半島などは車でも電車でも東京から2時間程度で行けてアクセスがよく、観光コンテンツの蓄積もあり、何より都市部と同レベルの便利さを享受できるので、ワーケーション先として人気です。しかし「近くて便利」である分、「価値観の異化レベル」の点は弱いかもしれません。

「お金で買えるラグジュアリー」はもう魅力的に映らない

　第6章で詳しく書くように、企画・運営する側の方も、これからワーケーションをしようという都市部のビジネスパーソンにとっては「お金で買えるラグジュアリー」がそれほど新鮮に映らない点は押さえておきたいポイントです。むしろ、地元の人が「どこがいいの？」と首を傾げるようなその地域の「素の部分」の方が、何ものにも代えがたい唯一無二の刺激になりうる可能性をたくさん含んでいます。

「何でもお金で買える」「早くて安くて便利なのが当たり前」「人を頼らなくても自分一人で完結する」といった都市の価値観に限界を感じている人は少なくありません。そうした価値観に基づいたシステムを回し続けるために、長時間労働で疲弊する人、孤立や孤独に苛（さいな）まれる人、うつや睡眠障害といったストレス性の精神疾患に苦しむ人が大量に生み出されています。この価値観のまま生きていくのが不可能であることは誰の目にも明らかです。そして、その限界はコロナ禍によりさらに明確になりました。

では、他にどんな価値観がありうるのでしょうか？

どんな価値観であれば、もっと幸せに生きられるのでしょうか？

残念ながら、現時点で社会全体として「これを目指そう」と合意の取れそうなオルタナティブ（代替案）は見つけられていません。それは私たちにとって今後避けては通れない課題です。特に社会を変えていくような商品やサービスを考えたり、作ったりしているビジネスパーソンにとって、どんな価値観に基づいて仕事をするかはアウトプットに直結します。また経営層にとっても、どんな価値観をよしとするのかの基準がなければ、企業を率いていくことはできないでしょう。

その点で、「価値観の異化レベル」という基準は、とりわけ社会や組織の仕組みに深く関わるビジネスパーソンがワーケーションをする際に大きな意味を持ちます。

これまでどっぷり浸かってきた価値観から一度離れてみる、あるいはもっと積極的に自分にフィットする価値観を見つけにいく。ときには近くて便利な場所でのストレスフリーなワーケーションもいいですが、ぜひ遠くて不便な場所で、想定外の出来事に驚いたり困ったりしながら、思いきり価値観を揺さぶられるワーケーションにも挑戦してみてください。

基準❸：参加者の能動性レベル
「自分から動ける人」がたくさん参加しているか？

ワーケーションでは、「地元の人」から得られる刺激も大切ですが、それと同じくらい「ワーケーションをする人」同士で与え合う刺激も重要な意味を持ちます。ここでいう「参加者」とは、家族や友人、同僚といった同伴者というよりも、同じツアー旅行に申し込んだ人や旅先で偶然出会った人を指しています。

これまで私たちが手がけてきたワーケーションでも、異なる企業に所属している人同士、またはフリーランサーと企業に所属している人同士、またはフリーランサー同士など、旅先で出会った人同士で素敵な化学反応がいくつも起きています。

最初はまったくお互いを知らなくても、「一緒に食事をした」「一緒に釣りや焚き火をした」「一緒にドライブをした」といったことをきっかけに、仕事の話になり、何が得意か、「今やっている」または「これからやりたい」プロジェクトは何か、五島のいろいろな地域課題はこういうビジネスがあれば解決できるんじゃないか、と話題は自然と広がっていきます。

やがて、帰る頃には「次は仕事で会いましょう」「あのプロジェクト、絶対一緒にやりましょう」「今度、ほんとにお仕事依頼しちゃっていいですか？」といった会話が交わされていたりします。しかも大人の社交辞令ではなく、ちゃんと「次の仕事」に繋がっています。

ワーケーション先でのこうした出会いが、ビジネスの世界でよくある異業種交流会と一番違う点は、「仕事が入り口になっていない」ことです。**「次の仕事に繋げたい」「人脈を広げたい」といった動機ではなく、ただただ「旅先での経験を楽しいものにしたい」という動機から共に過ごしているだけです。そこに変な打算や下心は入り込みづらいのです。**そして、旅先で時間を共にしたことが信頼関係の土台となり、その後一緒に仕事をすることになっても、着手する前からある程度「気心が知れている」という状態を作ることができます。

また、ワーケーション中にお互いの性格や人柄はもちろんのこと、想定外の事態に遭遇したときの反応や、地域の子どもやお年寄りとの接し方から、単に一緒に仕事をしているだけではなかなか見えてこない「人としての器」のようなものも目の当たりにしています。仕事にも想定外のトラブルは付きものですから、「この人となら力を合わせて乗り越えられるだろう」という確信めいたものを持てることは大変な強みになります。

未知の場所でも積極的に情報を探して、楽しい体験を貪欲に味わいにいく能動的な人。そんな人とワーケーションを共にしたいものですが、「最初から能動的な人」はなかなかいません。普段はいろいろな制約があって、本来持っている能動性をうまく発揮できていない人がほとんどでしょう。

でも、そうした人も、環境によってはのびのびと能動性を発揮できるようになるものです。人は置かれる環境次第なのです。「楽しいこと」のためなら、誰でも積極的に、能動的になれます。

ポイントは「時間」「お金」「手間」の投資

では、この基準❸を満たすワーケーションをするにはどうすればいいのでしょう。

ポイントは「時間」「お金」「手間」の投資です。

私たちがこれまで見てきた経験を踏まえると、時間なりお金なり、その他リソースをしっかり自分に「投資」してワーケーションをしている人は、旅先でも能動的に動く傾向があります。

ワーケーションは、個人で好きなときに自分で移動手段や宿を手配していくタイプ、年間を通じてあるプランやツアーに申し込んで参加するタイプ、自治体や企業が主催するイベントや期間限定の企画旅行に応募して参加するタイプ、勤め先の企業から派遣されるタイプなどがあります。これからワーケーションをする個人が、「旅先で出会える人」を選ぶのは難しいと思いますが、「このワーケーションなら面白い人と出会えそう」という基準ならあります。

ここでも、私たちが五島で企画・運営しているワーケーションを例に引いて説明していきたいと思います。というのも、五島のワーケーション・イベントは、参加する人による「投資」をかなり意識して設計しているからです。五島の場合は、市が主催する募集型企画旅行で一回の定員は50人。毎回定員以上の方がエントリーをしてくださいますが、来島前から来島中、来島後まで一人ひとりの能動性を呼び覚ます工夫を凝らしています。

まずは「時間の投資」を大切にしています。

五島のワーケーションでは、4泊5日を滞在期間として推奨しています。2泊3日であれば土日にプラス1日なので週末を利用して気軽に参加できますが、4泊となるとそうはいきません。仕事やプライベートの予定を調整し、どうしても対面でやらなくてはいけない仕事は事前に済ませておく必要があります。家族の都合も考えなくてはなりませんし、滞在費も長い分かさみます。結果、「それでも行く！」という前のめりな参加者が集まりやすくなります。五島のワーケーションの平均予定泊数は、回を追うごとに延びて、現在ではモデルケースの4泊5日を超えた6.3泊を記録しています。

他に「お金の投資」も大切にしています。

地方自治体が主催しているワーケーション企画では、税金を原資とした交通費補助や滞在費補助がついている場合がよくあります。あるいは、レビューやレポートを書くことを条件にワーケーションにかかるすべての費用が全額補助されるモニターツアーもあります。これらの施策は、ワーケーションに参加するハードルを下げるという意味では有効だと思いますが、最初から参加者に「お金の投資」を求めないため能動性の高い人は集まりづらいでしょう。どうしても「安いから」「トクだから」という理由で申し込む人の割合が高くなってしまいます。

五島は、離島のため交通の便がそれほどよくありません。羽田からであれば福岡か長崎で乗り継ぐ必要があり、直行便のある沖縄よりも交通費が1.5～2倍は高くなります。それでもこれまで一度も費用の補助をしたことはなく、全額参加者の自己負担です。

宿は数千円で泊まれるゲストハウスから一泊数万円の一棟貸しまで幅広い選択肢があり、お子様のためのアウトドアスクールや見守りサービスといったオプションも多いので一概には言えませんが、一人当たりの一回の消費額は4泊5日のモデルケースで12万円程度です。一回の国内旅行にかける予算としては多い方でしょう。

一回の国内ワーケーションにそんなに費用はかけられない、という声もあるかもしれません。これまで書いてきたようにワーケーションには「旅行」の意味合いに加えて、新しい経験をする「学び」の要素、普段出会えない人と繋がる「ネットワーキング」の要素、今後の仕事の幅を広げる「キャリア探し」の要素などが織り込まれています。単なる旅行と考えれば「高いかも……」と感じる額でも、そうした要素を全部含めた額なら「未来の自分」のために投じる価値は十分にあると思います。

一概に最低いくらかければOKという基準はありませんが、自分の貴重な時間を投じてワーケーションをするなら、「こういう経験を得て帰りたい」という期待を描いて、投じた分以上に貪欲に満喫するつもりで出かけましょう。

それから、**一番大切なのが「手間の投資」**です。

つまり、平たく言えば「お膳立てがされすぎていない」ということ。楽しいワーケーションをするために、自分から情報を取りにいく、自分から情報を発信する、自分から行動する、自分から人に声をかける、自分から地域と繋がるということです。現地までの移動手段や宿泊施設、各所オプションの案内など必要最低限のことは事務局で手配しますが、いろいろな場面で「自分から◯◯する」余地を残しています。

参加者が「お金だけ払ってあとは任せた」というお客様気分ではなく、自分から動かなければ、面白い体験にアクセスできない仕掛けになっているのです。でもいったん動いてみると、芋づる式にどんどん面白い体験に出会えます。そうした体験プロセスを仕組みとして担保しているのが五島のワーケーション・イベントです。

例えば、旅の目的地に着いた初日、夜ごはんを食べる店を決めるとき、あなたならどうしますか？SNSやウェブで検索してみますか？宿のフロントの人に聞いてみますか？観光パンフレットを探して開いてみますか？はたまた数日前から滞在している人を見つけて尋ねてみますか？いろいろな方法を思いつくはずですが、**できれば「知らない人を捕まえて聞く」という能動性を発揮してみてください。検索するよりある意味めんどうくさい「手間の投資」が思わぬ愉快な「偶発性」を呼び込んでくれます。**

「時間の投資」「お金の投資」「手間の投資」。この3つを、惜しまずにできる範囲でしっかり行う。それがまずは自分自身が能動的に楽しみ、そして旅先でも能動的な人と出会うための大切なポイントです。

基準❹：地域との協業レベル
地域の人や企業も関わり、その土地ならではの魅力が味わえるようになっているか？

そして最後の基準が「地域との協業レベル」、つまりその地域の人や企業も積極的に関わって「その土地ならではの魅力」が味わえるようになっているか、です。この基準でポイントになるのは、何といっても「人」です。**価値観が揺さぶられるような体験の多くは、その場所で実際に生活をしている「人」を通じて味わえる場合がとても多い**からです。

ワーケーション中に旅先で出会いうる地域の「人」は、多岐にわたります。

必ず接するのは宿のご主人やスタッフの方だと思いますが、他にも、食事処の人やそこのお客さん、タクシーやバスの運転手さん、コミュニティカフェやコワーキングスペースで働いている人などが挙がるでしょう。地方自治体が関わっているワーケーションであれば、市役所や町役場の人と接することもあるかもしれません。でも本当は、もっと多様な「人」と出会える可能性があります。

例えば、道ですれ違った知らないおじさんに言われるがまま坂を登って行ったら、観光ガイドにはいっさい出ていないすごい絶景があった。ウェブサイトもなく検索しても出てこない、Uターンしたおにいさんが一人でやっているキッチンカーがめちゃくちゃ美味しかった、などなど。

そういう体験こそ、価値観を揺さぶられる新鮮な体験でしょうし、後々まで心に深く刻まれるはずです。すでに書いた「余白」や「偶発性」の話とも関連しますが、「時間」「お金」「手間」をわざわざ投資して出かけるなら、地域の「人」とたまたま出会える可能性があちらこちらに転がっているワーケーションをしてみたいものです。

ところが、現実には、地方自治体や大企業が主導するワーケーションでは、がんばっているのは行政やその会社の人ばかりで、その地域の人は「我関せず」といった感じのケースがときどきあります。

「ワーケーションをしに来ました」と言っても、「それは何？」と不思議そうに聞き返されることもありますし、コワーキングスペースという普段足を踏み入れない場所でパソコンをパチパチ叩いている人たちを、「自分たちとは関係のない人」だと認識してしまっていることもあります。結果として、「仕事でワーケーションに関わっている人」以外とは、地域の人とほとんど接点を持てないまま終わってしまうケースも少なくありません。

その意味で、地方自治体と大企業が中心になって運営しているワーケーションよりも、地域の人や地元企業もしっかり関わって細やかに運営されているワーケーションの方が、参加する側としては断然面白いと思います。

その土地の人が「ワーケーション」とどんなふうに関わっているかは、着いた初日からだいたいわかります。例えば、タクシーの運転手さんに「ワーケーションで来ました」と伝えてみて、どんな反応が返ってくるか試してみましょう。「ワーケーション？それ、何ですか？」と返されるか、「ああ、ワーケーションね。最近、そういう人がたくさん来てくれてありがたいね」といった返事をしてくれるか。それだけでも、どのくらい地域を巻き込んだワーケーションになっているかが見て取れます。

他にも、町の中心に、地元の人が丁寧に運営しているコミュニティスペースやコワーキングスペースがあり、近所の人も普段から遊びに来る場になっている。アクティビティなどのコンテンツに、地元の中小事業者さんを巻き込んだ「手づくり感」漂うユニーク企画が並んでいる。そういうケースは、地域を巻き込んだいいワーケーションになっていると言えるでしょう。

ちょっと長くなってしまいましたが、以上が、人生を豊かにしてくれる「偶発性」が起こりやすい理想のワーケーションの条件です。4つのすべての条件がいきなりバッチリ揃ったものは見つからないと思いますが、これから実践していく際には頭の片隅に置いておいていただけるとお役に立てると思います。

「出たとこ勝負」は50%くらいがちょうどいい

さて、次の章ではいよいよ日本各地で実際にワーケーションを実践しているトップランナーたちの話を聞いていきますが、その前に一つだけ書いておきたいことがあります。

それは、どこまで「偶然」に身を委ねるか、という点です。

結論から言えば、偶然に委ねる出たとこ勝負は50%くらいにしておくと、ちょうどいいと思います。**わかりやすい基準として、「一回検索すればすぐにわかることくらいは、頭に入れてから行くこと」をおすすめします。**だいたいの位置や、どこが中心地なのか、盆地なのか高地なのかなどの大まかな地理、どこの自治体なのか、人口や面積はどのくらいかまでざっと調べておくのがベストです。

普段多忙すぎて時間がないという人でも、そのくらいの情報なら、現地に向かう移動時間にスマホで検索すればすぐに出てきます。こうした事前のインプットが、第4章で取り上げる「地域との関わり」に特に活きてくるのです。

ワーケーションを企画・運営していると、びっくりするほど「丸腰」でやってくる方がときどきいらっしゃいます。例えば、五島列島の中心地である福江島は、面積約330㎢でだいたい相模原市（神奈川）と同じくらいの広さがあるのですが、「自転車で島を一周するのが楽しみです」「ビーチまで歩いていくので大丈夫です」と意気揚々と明るい声でおっしゃいます。しかし、観光の目玉であるとあるビーチは、市街地から車で45分もかかる場所にあり、徒歩だと山をいくつか越えて6時間もかかってしまいます……。

「偶発性を楽しもう！＝何の準備もなく丸腰で来て大丈夫！」ということではないのです。旅の満足度を左右する大切なポイントなので、その点だけ、最後に書いておきたいと思います。

最低限の情報を事前に取り込んでくるかこないかで、旅先で出会える「刺激」の質が違ってきます。「刺激」の量に関しては、丸腰で来ても、現地で人を捕まえて質問をぶつければ、それなりに得られます。地域の人も、「えっ……そんなことも知らずに来たの……？」と内心驚いてはいても、旅人には親切に、ニコニコ優しく教えてくれるはずです。

でも、**インターネットで検索しても得られない情報を「刺激」としてたくさん受けて帰ることが、ワーケーションの醍醐味**です。せっかく地域の人といろいろ話すのなら、検索すればわかることを聞くよりも、検索した上でもっと知りたくなったことを聞いた方が、会話も深まります。

旅先での「偶然の出会い」の質をできるだけ上げるために、最低限のインプットは惜しまない。その点だけ最後に強調して第3章を閉じたいと思います。

山口周さんコラム❸

定住型より遊牧型の方が、「呪い」という負の感情が心に溜まりにくい

僕がこうして「たくさん旅をしてモビリティを上げた方がいい」というのには、実は自分自身への反省も含まれています。というのも、僕は東京のたまプラーザで生まれ、28歳まで実家で暮らし、その後も世田谷区の中で駒沢、深沢、岡本あたりを転々としていました。

「モビリティを上げた方がいい」と言いながら、葉山への移住を45歳で決断するまで、自分自身はほんの半径数キロ圏内で暮らしてきたわけです。ですから、自分の来し方を振り返ったとき、若い頃、もっとモビリティを上げておいてもよかったんじゃないかという思いがあるのです。

実家を出て最初に暮らした駒沢の小さなマンションは、とても気に入っていました。コラム❷で書いた「sense of belonging」の感覚がしっかりと自分の中にあって、長く暮らしていても「しっくりくる」感じが薄れることはありませんでした。古い物件をリノベー

LIFE INITIATIVE
Column:03
Shu Yamaguchi

ションしたもので、窓には渋いステンドグラスが嵌められていました。全体的に、どこか修道院のような雰囲気が漂っていて、とても居心地がよかったのです。

それから、結婚して家族が増えたり、自分自身が転職したりで、近所で住まいを何度か変えました。古びた小さなマンションから、次第に広くて、新しくて、どことなくゴージャスな感じのする住まいへと居を移していきました。

でも、そのたびに僕の中で「sense of belonging」の感覚はどんどん薄れていきました。引っ越し前に物件を内見する段階では、「今よりもっと広いところに住めるぞ」とテンションが上がりとてもワクワクしているのです。ところが、引っ越して数か月すると、「何か違うな、しっくりこないな」という感覚が膨らんでいきます。そんなことを繰り返すうち、序文で書いたように葉山（神奈川県）への移住を決断するに至りました。

そんな僕自身の半生を「場所」というテーマで振り返ってみると、「記号」が一つのキーワードとして浮かび上がってきます。土地にはそれぞれに「記号」を与えられています。たとえば、東京の広尾であれば高級住宅街という「記号」が、六本木であればいわゆる成功者が集うリッチな街という「記号」が一般的にはつけられています。

住んでいる場所は、その人にとって一つのアイデンティティですから、わかりやすい「記号」を欲しがる人が多いのもよくわかります。そして、僕自身が東京で転居を繰り返すたびに「sense of belonging」の感覚を失っていったのは、その「記号」にだんだんと囚われていく過程だったのかもしれません。

「記号」にこだわらずに、「sense of belonging」を大切にした方がいい。

これが、僕が自分自身への反省も踏まえて、お伝えしたいことです。

実際、それぞれの「場所」に足を運んでみると、世間から与えられている「記号」には収まりきらないものが必ずあります。いかにも高級住宅街といった感じのピカピカの新築マンションのすぐそばに、古くからの下町っぽい商店街が続いていて、昔ながらのお風呂屋さんが建っていることもあります。そこに腰の曲がったおばあちゃんがシルバーカーを押しながら通っていることも。1〜2㎞の狭い範囲内でも、自分の足で見て回ると、ずいぶんと違う人生のありようが見えてきます。

「いい人生を送りたい」というのは、誰しもが望むことですが、「よさ」のありかたの幅をもっと広げた方が幸せに生きられると思います。「よさ」のありかたを一つしか知らないと、その「よさ」を実現できないことが見えた時点で、残りの人生を敗者として生きていかなくてはならなくなります。それはとても苦しいことです。そういう意味でも、いろんな場所に出かけていき「記号」に収まりきらない多様なものに触れることをおすすめします。自分が普段囚われている「記号」とは無縁のところで、「いい人生」を送っている人と出会うたびに、「よさ」のありかたの幅は自然と広がっていきます。

また「記号」に関しては、「場所」だけでなく他でもない自分自身につけられているレッテルのようなものもあります。会社を経営している人であれば「社長」というレッテルが日常の中のかなりの部分を占めているかもしれませんし、子どもの頃からずっと同じ場所に住んでいるとしたら「小さな頃からワガママ」なんていうラベルを貼られているかもしれません。

人にはそれぞれに名前、肩書き、人格、縁戚関係……などついて回るものがあります。

たとえば、周囲が気を使って誰も本音を言ってくれなくなったとある経営者が、コーチングの先生に相談したところ、「生まれ故郷に行って、同級生と話しながら食事でもしておいで」とアドバイスされたという話を聞いたことがあります。そのエピソードに触れたとき、コーチの鋭さに感心しました。「場所」を離れることが、同時にその人について回る「社長」というラベルからの解放にもなっていたからです。

『働くことの人類学』（黒鳥社）という本の中に、面白い指摘があります。それは、定住的な農耕社会には呪術が多いけれど、遊動的な暮らしをする牧畜民には相対的に呪術が少ないという話です。定住して固定された空間に固定されたメンバーで住み続けていると、まわりに嫌な人がいても感情を押し込めて我慢しながらうまくやっていかざるをえません。そうすると、負の感情が心に沈殿して、それが呪いの形で表出するからではないか、という考察です。

一方、牧畜民のように移動ができれば、関係が険しくなれば物理的に離れてしまえばいいので、負の感情が溜まることがありません。

「場所」を移動することが、人間関係の調整にも効くという話には、頷く人も多いのではないでしょうか。「住む場所を変える」「働く場所を変える」には、人間関係をはじめ、今の自分について回るものを一度リセットする機能があります。

「場所」を変えるというと、どうしても物理的にどのくらい離れるかの「距離」に意識がいきがちですが、普段自分の中にまとわりついている様々な「記号」のようなものから離れる機会とも捉え直すことができるのです。

第４章

今、自分が
欲しい「刺激」を
取りにいく

人生をデザインし直すためのサンプルを集めよう

「今の自分」にピンとくるスタイルとは

第1章ではなぜワーケーションが「人生の主導権を取り戻すこと」に繋がるのかについて、第2章では「場所」と「時間」を自分でデザインする意味について、そして第3章では「偶発性」を盛り込むことの大切さについて、それぞれお話ししてきました。この第4章では、ワーケーションのタイプによって人生にどんな変化が起こりうるのかについて、具体例を交えてお伝えしていきたいと思います。

実は、ひと口に「ワーケーション」といっても、さまざまなタイプがあります。例えば、自然と触れ合い心身を癒やすことを目的としたリトリート系のワーケーション、子どもを連れていきやすいコンテンツがそろっているファミリーワーケーション、チームビルディングやリーダーシップ養成などの要素が強い研修系のワーケーション、地域の中小企業とのマッチングを図る副業系のワーケーション、企業による事業創造や協業によって地域課題を解決する課題解決型ワーケーションなどが挙げられます。

目的は異なりますが、どれも上手に活用すれば、今後自分のライフスタイルやワークスタイルをデザインし直すヒントを豊かに含んでいます。それぞれのタイプのワーケーションが、実際にどのようなものなのか、どんな点を意識するとより充実した時間にできるのか、そして経験したあとの人生はどのように変化しうるのか。私たちが過去に企画・運営した五島列島でのワーケーション参加者に加え、すでに各地・各社で実践している先駆者の皆さんにインタビューをしてみました。

これから自分の人生をデザインするためのサンプル集めのつもりで、

読み進めてください。家族重視、仕事重視、あるいは知的好奇心を満たすための旅、いろいろなスタイルがあるので、今の自分にはどんな形のワーケーションがピンとくるか想いをめぐらせながらページをめくっていただければ嬉しいです。

仕事とプライベートの距離感を見直す

ファミリーワーケーション

子どもを連れて、ある種の家族旅行のような感覚で楽しむワーケーションが、「ファミリーワーケーション」です。とはいえ、家族全員そろうとは限りません。パパだけ、ママだけで子どもを連れてくるパターンもありますし、同じような年齢層の子どもを持つ同僚同士、友達同士で予定を合わせて参加するパターンもあります。

ファミリーワーケーションのコツは、「普段より、子どもは楽しく、親はラクに」です。都市部で仕事をしながら育児もする生活は、とにか

仕事の時間と家族の時間のバランスを見直すいいチャンスにも。
仕事は控えめにして、
子どもや自分のための時間をたっぷり取る人も多い。

く毎日がとてもハードです。「仕事も育児も中途半端……」とモヤモヤしているパパやママはたくさんいます。そうしたパパやママにとってファミリーワーケーションは、怒涛のような日常ではなかなか持てない「リセットの機会」になりえます。

私たちは、数あるワーケーションの中でもこの「ファミリーワーケーション」が、もっとも可能性を秘めていると実感しています。過去に私たちが企画・運営した五島のワーケーションの場合、全参加者のうち平均して20%が子どもでした。滞在期間は週末を挟んで4〜6日ほどが多い印象です。

五島列島のワーケーション・イベントでは、開催期間中さまざまなサポートをオプションとして用意することで、親が罪悪感を持たずに安心して「子どもから離れられる時間」を設計しています。具体的には、地域の保育園の一時利用、小学校の体験入学、アウトドアスクール、コワーキングスペースでのお子様見守りサービスなどを用意し、平日は予定に合わせて自由に利用できるようになっています。

平日の昼間は、子どもは子ども、大人は大人で別々に過ごし、夜や週末は親子一緒に旅先を満喫する。そんな時間を過ごす中で、「ひとりきりで過ごせる時間さえ持てれば、夫や子どもにもそんなにイライラしないのか」と気づいたり、「いつも家族のケアばかりで、自分のために時間を使ったのなんて何年ぶりだろう」とハッとしたり、あるいは「やっぱり自分は育児より仕事が好きなんだ」と認めづらいことを認められたりします。**こうした気づきを得ることは、確実に、旅から帰ったあとワークスタイルやライフスタイルを設計し直す大きなヒントとなります。**

家族だけで完結しないから楽しい

現在1歳、8歳、11歳と3人のお子さんのママでありながら大手新聞社でジャーナリストとして活躍されている今村茜さんは、2018年からファミリーワーケーションを実践し続けているベテランで、2021年には「親子ワーケーション部」を設立しその代表を務めています。今村さんの場合、夫がエッセンシャルワーカーで東京を離れられずなかなか休暇も取れないので、ワーケーションをする場合、今村さんが一人で3人のお子さんを連れて移動することになるそうです。

「ワーケーションは普通の旅行とは違って、家族だけで完結せずに地域の人と関わる機会があるのが一番特徴的です。それによって第二、第三のふるさとが全国にできていく感じです」

また、一般社団法人母親アップデート理事の田畑あかねさんも、全国に230人いる会員のうちそのとき予定が合うメンバーとファミリーワーケーションを実践中です。
「私はとにかく仕事が大好きなので、共用部が充実した宿で他の参加者の子どもたちがみんな一緒に、地域の人の助けも借りて親同士サポートしながら過ごすスタイルが気に入ってます。人見知りのわが子もすごく成長しました」と田畑さん。いろいろな地域で経験を重ねて、親子ともに上手に過ごすコツが身につきました。

家族が円満になるパパだけ子連れワーケーション

これまでたくさんの親子が五島のワーケーション・イベントに参加してくださいましたが、とりわけ胸を打たれた例がありました。「パパだけ」で1歳になったばかりの男の子を連れてきてくださった山形方人さんです。

山形さんは、「ワーケーションで自分が“ダメパパ”だったことに気づいた」と話していたのが印象的でした。滞在中は、息子さんが起きている時間は息子さんと一緒に過ごし、夜やお昼寝タイムなど息子さんが寝ている時間に集中的に仕事を片付けるというふうに、普段とは完全にモードを切り替えて過ごしていたそうです。息子さんとはビーチでゴミ拾いをしたり、肩車をしながら散歩をしたり、キッチンで調理したパンケーキを持って地元の人との一品持ち寄りパーティに参加したり。

そんなふうに過ごしているうちに「これまでも家族を最優先に考えてきたつもりだったけど、実はちゃんと考えられていなかったことに気づいた」といいます。例えば、息子さんに「抱っこして」と頼まれたとき、今までなら何も考えずに物理的に抱っこしてあげるだけだったのが、

「パパだけ子連れワーケーション」にチャレンジした山形方人さんと
当時1歳だった蒼人くん。毎日のように海辺のゴミを
二人で拾ったりして一緒に過ごしていた。

ワーケーションで四六時中一緒に過ごす中で「抱っこして」という言葉の背後に息子さんのどんな思いがあるのかを考えるようになったそうです。「高いところを見たい」のか、「さみしくて不安」なのか、日常の中では忙しくて気を配れない点にまで意識がいくようになり、親子の絆が深まりました。

実は五島列島のワーケーションでは、「パパだけで子連れ」のパターンが珍しくありません。パパ自身が自分のワークスタイルを見直す上でも、ママのキャリアを設計する上でも、そして何より家族全体の関係性をよりよくしていく上でも、「パパだけ子連れワーケーション」が今後もっとポピュラーになっていくことを切に願います。

意欲のリミッターを外す

合宿・研修型ワーケーション

「リフレッシュの機会」に「学びの機会」をプラスしたワーケーションもあります。それが合宿・研修型ワーケーションです。このスタイルは特に企業からのニーズが高いようです。

このジャンルでトップランナーとなっているのは、和歌山県の白浜町。東京から飛行機で南紀白浜空港まで約70分、空港からワーケーションの中心地となっている白良浜まで車で5分というアクセスのよさを活かして、2015年頃からIT企業を中心に積極的に企業誘致を進めてきました。誘致した企業は現在11社（2021年8月時点）。それらの企業がワーケーションという形で、合宿や研修も兼ねて社員の皆さんを送り込んでいます。

例えば、あるメガバンクでは3カ月に一度、社内のプロジェクトチームや全国の支店の若手などが2泊3日滞在する社内プログラムを実施しています。年齢層は20代から40歳前後までさまざま。3日のうち最初の2日は、自社の事業のこれからについて集中的にチームでグループディスカッションをし、3日目は地元の農家でたっぷりボランティアをして帰ります。ブロッコリーの植え付けをしたり、みかんの収穫を手伝ったり。地元名産品である梅の天日干しや枝の剪定をすることもあるそうです。

日常の業務を離れ合宿形式で集中的にチームでディスカッションすることで濃度の高い議論ができますし、旅を共にすることでチームビルディングが自然とできて、オフィスにいるよりも打ち解けた会話が生まれるというメリットがあります。

またCSR（企業の社会的責任）活動も兼ねて行っている農業ボランティアなど、地域の中小事業者さんとの交流を通じて銀行の社会的役割を肌で感じる機会にもなります。何より社員の皆さんがその時間を楽しみ、モチベーションの高い状態を生み出せる点がポイントです。

自分が一番成長できる「学び方」を見つける

また自身が旅をしながらワーケーション的な過ごし方をしたことがきっかけで、副業としてその地域で研修事業を立ち上げてしまった例もあります。私たちの仲間である日髙誠人さんです。日髙さんは起業家輩出企業として知られるIT企業に20年近く勤務している会社員。40歳を超え「自分もそろそろ独立した方がいいんじゃないか……」「このままのキャリアでいいんだろうか……」とモヤモヤしていたタイミングで、五島への旅に出かけました。

歩いても歩いてもほとんど人に出会わない港町、方言のアナウンスが流れるがらんとしたバス、人より多い猫、昔の人がなけなしのお金を集めて建てた教会の数々、今も信仰を守っている人たちの生きざま、そして、ただただ美しい海……。4泊5日の間に五感で受け取ったたくさんの「刺激」によって自分の中で一時的に“常識”から離れる「異化」（詳しくは83ページ）の体験をして、「なんで、あんな小さなことで悩んでいたんだろう……？」とそれまでのモヤモヤが吹っ切れたそうです。

こうして自分を救ってくれた旅の体験を、キャリアに悩む他のビジネスパーソンにも届けたい。そんな想いから、同じく「とにかく五島が好き！」という私たちと一緒に法人を設立、会社に副業申請をしてワーケーション事業とは別に五島での研修事業を立ち上げました。彼の切実な想いから生まれた研修プログラムは、副業のため実施回数は限られているものの、過去の彼と同じように悩んでいるビジネスパーソンの人生を「旅の体験」を通じて確実に変えています。

「(旅の体験は) これまで受けたどんな研修よりも自分を変えました。実はビジネス系の大学院で事業創造を勉強しようかとも考えていたけれど、こうして地域密着型のスモールビジネスを副業として試行錯誤で始めた方が、自分にとっては何倍も学びのスピードは速かったと思います」と日高さん。

本業は「事業のグロース（成長)」や「売上の最大化」が肝とされるビジネスの世界で頑張りつつ、別の原理で動くスモールビジネスを副業として地域と一緒になって立ち上げ、時間をかけて育てていく。そうすることで、いわゆる「ビジネス研修」を超えた効果が生まれるだけでなく、その人個人としても充実した仕事人生を歩めるようになります。そうした好循環も、ワーケーションを通して生まれうることがわかっていただけると思います。

余白を「与えられた過ごし方」で埋め尽くさない

最後に、もし読者の皆さんの中に企業の経営層や人事部の方、働き方改革担当の方などがいらっしゃったら、この合宿・研修型ワーケーションについてお伝えしておきたい注意点があります。

私たちが見聞きしている合宿・研修型のワーケーションには、実は残念なケースが散見されます。例えば、30代の若手リーダー層がワーケーション先で新規事業に挑戦している地元企業の人のレクチャーを聞いて意見交換会をする、研修会社を入れてチームビルディングやリーダーシップ育成のプログラムを実施する、あるいは40〜50代でキャリアの停滞期にある層を送り込んで地域で副業を体験してもらうという内容のものがよくあります。

内容そのものはいいのですが、問題はスケジュールの組み方です。というのも、1泊2日や2泊3日といったタイトな日程で、旅程をびっちり組んで実施しているケースがよくあるからです。

慣れない土地まで移動して、隙間なく組まれた研修プログラムや視察プログラムをこなし、その上ルーティンの仕事まで片付けなくてはならないとなると、もうクタクタです。**ワーケーションのはずが、普通の「出張や研修より疲れる」という事態を招きかねません。**

この本で何度も繰り返しお伝えしているように、ワーケーションで一番大切なことは、「自分（本人）が何をしたいか？」です。それを感じ取る暇もないほど、「与えられた過ごし方」で埋めてしまっては意味がありません。ワーケーションを人材育成の手段として考えるのであれば、自分で考え、決める「余白」をたっぷりと持たせるようにしてください。

未来を先どりしている「地域の課題」

事業創造型ワーケーション

最近では、研修に近いタイプのワーケーションとして、行政と企業がタッグを組んだ「事業創造型ワーケーション」があります。「公共交通が維持できず、お年寄りが買い物難民になっている」「漂着する大量の海ゴミを拾う人手が確保できない」といった、その地域特有の課題に対して、技術や知見を持つ企業がコミットするというものです。

地方自治体にとってはノウハウや人材が足らず取り組めていなかった課題に着手できるというメリットがありますし、企業にとっては社内の人材育成の機会や行政との協働事例になるというメリットがあるので、最近盛んになりつつあります。

ここまで読み進めていただいた方はすでにお気づきのように、ワーケーションで出かけていく旅先で見ておきたいものは、その土地の「魅力」ばかりではありません。**その土地の「課題」もまた、旅人にとっては好奇心をそそられる面白い刺激なのです。**

特に日本の地方には、都市部に住んでいては見えてこない課題、あるいは、存在は知っていてもリアルに感じられない課題がたくさんあります。

例えば、若い人が進学や就職のために都市へ出てしまいお年寄りの比率がとても高くなってしまう「若年層の人口流出と高齢化」の問題、空き家が増えそのまま放置されているという問題、子どもの数が少なくなって保育園や幼稚園の閉園、小中学校の廃校が増えているという問題、人口が減って下水道や交通などの公共インフラの維持・管理が難しいという問題、介護や医療の担い手が都市部以上に深刻に不足しているという問題などなど、無数にあります。

そして、これらの課題は今後数十年のうちに都市部やその近郊でも、十分に起こりうるものばかりです。**つまり「数十年先の未来」が、濃縮された形ですでに立ち現れているのが、日本の地方、とりわけ島や山間部といった過疎地域なのです。**

データではわからない「体感知」を鍛える

今、日本という国全体に、何が起きようとしているのだろう？

この問いも、まさに未来を担うビジネスパーソンが向き合わざるをえないものです。日本の未来はどうなるか？未来の社会はどうあるべきか？いろいろな統計データや、それに基づいた予測と向き合いながら、商品やサービス、システムや制度を考える仕事に就く人は、ワーケーション実践者の中に大勢いるはずです。

地方まで足を延ばして目の当たりにする現実の「課題」には、統計データや予測をはるかに超えた、圧倒的なリアリティがあります。車で1時間もあれば端から端まで行けるような小さな地域内に、廃校がいくつもある。どれも大きくて立派な校舎で、つい最近まで使われていた気配が感じられる学校もある。しかも、地元の人曰く学校の統廃合はこれからもどんどん進むらしい……。

ドライブの途中ふと目に飛び込んできたその光景からだけでも、日本でどれほど急速に少子化や、若年層の都市への流出が進んでいるかを肌でひしひしと感じます。都市部に暮らしていると、ニュースで時々耳にする「日本の課題」がここまで差し迫ったものとして実感できる機会はまずないでしょう。

リアルな一次情報を取り込んで自分の中の「体感知」を鍛えておくことは、先の見えない状況で判断を下し続けなくてはいけないビジネスパーソンにとっては圧倒的な強みになります（詳しくは141ページ）。特に課題先進地域と呼ばれる場所でのワーケーションは、「体感知」が鍛えられる材料であふれています。

「もう1人の自分」を見つけよう

地域課題を自分の目で見て、肌で感じ、そこから事業を考えていく「事業創造型ワーケーション」。これに取り組んでいる地域として、長崎県の壱岐が知られています。書類審査や面談により事前に具体的な事業アイデアを持っている人だけを募集、滞在中に地域のリアルを学びながら地元企業とマッチングして、実際に事業をスタートさせるところまでやりきる本気度の高い内容です。結果、初年度は3事業が実際に採択され、実現に向けて動き出すことになりました。

「事業アイデアを言いっ放しにするのではなく、責任を持って実現できる人たちだけに来てほしい」という主催者・IKI PARK MANAGEMENTの高田佳岳さんの想いが、随所に込められている事業創造型ワーケーションです。

「地域の課題から事業を構想しようという企画はよくありますが、とに

かく“責任を持ってやりきる人にしか来てほしくない”というのが本音です。大企業の名刺を持って『地域の課題を解決するので、話を聞かせてください』と都市部からビジネスパーソンがやってきたら、地域の人はどうしても期待します。でも、実際には意見や思いつきのアイデアを言い放ち、自治体の長と意見交換だけして帰ったまま立ち消えになってしまう……という残念なケースがよくあります」（高田さん）

実は、高田さんは自身が大手広告代理店から独立後、地方創生のプロジェクトで壱岐と関わったことがきっかけで、「経営危機にあるイルカパークを立て直してほしい」と地域から乞われ、IKI PARK MANAGEMENTの代表取締役社長に就任しています。ところが本気で結果を出そうとすると、他の仕事との両立は不可能で壱岐の地域活性にフルコミットするしかないと悟ります。

現在は、ひと月のうち3週間は壱岐で、残りの1週間は家族のいる東京で過ごすという生活を送りながら、就任3年目を迎えました。売上はリニューアル前の約8.8倍を達成、コロナ禍でもオンラインコンテンツやEC（電子商取引）を充実させて売上アップに繋げています。そんな

経営難にあったイルカパークの立て直しに
取り組んでいる高田佳岳さんだからこそ、
「結果」が出るワーケーションにこだわる。

高田さん自身の経験があるからこそ、徹底して「結果」にこだわる「事業創造型ワーケーション 」を実装できている例です。

また鳥取県も、ワーケーションを「働くことを通じて地域と関わる人を増やし、人手不足という地域の課題を解決する」ための手段として積極的に活用しようとしています。

県の重要施策の一つ「プロフェッショナル人材戦略拠点」では、2020年度、地域の中小企業から71の求人を副業として集め、それに対して1300の応募があり、結果60社から93の内定を出しました。応募したのは、主に首都圏在住の大手企業の中堅社員で、「独立は憧れるけどハードルが高すぎるから、まずはちょこっと副業を体験してみたい」「社外との繋がりが少ないから、地方で副業を持つことで“自分の世界”を広げたい」という気持ちを抱えている人たちです。

「人手が足らない」という地元中小企業の課題と、「世界を広げたい」という都市部ビジネスパーソンのニーズがうまく一致して、いいサイクルが生まれている例と言えます。

課題の背景を知るともっと楽しくなる

ただ、この「事業創造型ワーケーション」には落とし穴があります。それは「地域課題の解決」が先に来てはうまくいかないということです。私たちも過去に「地域課題解決型ワーケーション」と銘打った企画を実施したことがあります。その反省を踏まえて、**「課題の解決」の前に「地域の理解」にたっぷり時間とエネルギーを割いてほしい**という点を強調しておきたいと思います。

特に都市部のビジネスパーソンは、普段から仕事で「課題の発見→解決」というプロセスを息を吸って吐くように自然に行っているので、どこに行ってもすぐに「課題」が目についてしまいますし、見つけた以上「解決したい！」という衝動に駆られます。仕事ができる優秀な人ほど、その傾向があります。

でも、ちょっと待っていただきたいのです。

「課題の発見→解決」の前に、もっと大切なことがあります。それが「地域を知る→好きになる」というプロセスを踏むことです。**都市部であればたいていのビジネス上の課題は、「人材」と「予算」があれば解決できます。それに対して、地域の課題解決はとても複雑**なのです。

まず市民、行政、企業といったステークホルダーがいて、市民の中にも「その土地からほとんど出たことがない人」「子育てを機に地元に戻った人」「老後のためにUターンした人」「縁もゆかりもない土地ながら、好きで移住した人」などさまざまなタイプが混在していて多様です。

行政の担当課も、民間企業からすればなじみのないセクションに分かれていて、それぞれに力関係が働いています。またそもそもの話、今山積しているのは仮に解決策を見つけてもあまり儲からない課題ばかりで、

「地域課題の解決」の前にまずは地域を知り、地域の人と「友達」になることが大事。写真は五島のワーケーションでの地元の人を交えた一品持ち寄りパーティの様子。

企業が通常のビジネスとして手をつけずに放置してきたものばかりです。要は、**難度がかなり高い。解決には時間も手間暇もかかります。**

また地方には、公共の問題だけでなく、「後継がいなくて事業承継が難しい」「人手不足で採用に苦労している」「人材がいなくて業務のDX（デジタルトランスフォーメーション）が進まない」といった民間の問題も山積しています。でも、仮にそういう課題を抱えている経営者がいたとしても、ワーケーションでやってきた「よそ者」に最初から「今、自分たちはこういうことに困っている」と教えてくれるでしょうか？自力ではどうにもできない「課題」は、当事者にとっては言ってみれば「恥」のようなもの。本当に困っていることは、そう簡単には話してもらえません。

何が課題なのか？

その本当の原因は何なのか？

その課題の解決にはどんなステークホルダーが関わるのか？

それらのことをちゃんと知るだけでもかなりの手間暇がかかりますし、本気でその課題解決に取り組むことになれば、時間の面でも労力の面でも相当なリソースが求められます。途中で人間関係でいざこざが起きたり、予算やいろいろな規制などに阻まれて挫折しそうになったりする場面は、おそらく避けられないでしょう。

地域の課題解決は、とてもやりがいがありますが、非常にハードルが高いのです。そういうときに「その地域のことが、とにかく好き」という気持ちがなければ、乗り越えていけないと思います。ですから**ワーケーションでは、「課題の発見→解決」の前に、「地域を知る→好きになる」のプロセスこそ大事にしたい**のです。

企業が感じるワーケーションのメリット

いち早く取り入れ始めた会社

ここまで、「ファミリーワーケーション」「合宿・研修型ワーケーション」「事業創造型ワーケーション」といったいくつかの「型」を紹介してきました。この本を書いている2021年夏時点で、日本各地でさまざまなワーケーションが準備されているので、今後「アグリ（農業）ワーケーション」や「アートワーケーション」など、他の「型」も登場するかもしれませんが、だいたいこれらに大別されると思います。

ここからは、実際にワーケーションを会社の制度として導入している企業を紹介していきます。

私たちの実感では、日本国内の企業は今のところ、ワーケーションについて「なんとなくよさそうではあるけれど、勤怠管理やセキュリティの問題などの種々のハードルを越えてまで導入する明確なメリットが見えない」という本音を抱えています。でも、なかには「コロナ前」から導入のメリットは十分にあると判断して、積極的に取り入れている企業も存在します。この本では、JAL（日本航空）、ユニリーバ・ジャパン、パソナグループの例を取り上げます。

「出向」で得られる刺激に「旅の楽しさ」をプラスする（JAL）

年間で社員の4分の1が実践

JAL（日本航空）では、2017年からワーケーション制度を導入しています。休暇に一部業務を認める制度で、例えば旅行や帰省で出かけている数日のうち半日だけを業務に充てたい場合、場所と時間を申請すれば、通常のテレワーク（リモートワーク）の枠内で自由に仕事ができるというものです。2017年の導入初年度は11人が利用しただけでしたが、その

JALでワーケーション制度を推し進める東原祥匡さん。
その設計には自身の30代前半での出向経験が活きている。

後利用する社員はどんどん増え、2020年度にはテレワーク可能な社員2000人のうち約530人（合計で918人日）がワーケーションをしました。

さらに2019年からは、出張時に休暇がつけられる「ブリージャー制度」も導入。例えば、月火水と出張ならそこに木金を有給休暇としてくっつけるなどして、まるまる1週間出張先に滞在し休暇も楽しめるようにする制度です。こちらの制度も2019年度だけで168件の利用がありました。

JALがこうして、社員に仕事をする「場所」と「時間」を自由に選んでもらえる制度を導入する根底には、「社員みんなが残業をせずに所定の勤務時間内でフェアに活躍できるようにしたい」という人事労務セクションとしての想いがあると、人財戦略部の東原祥匡（よしまさ）さんは言います。

「ワーケーション、ブリージャーなどなど新しい言葉はいろいろありますが、要はテレワークなんです。育児中の人や介護中の人が、『残業ができない』『出社できない』という理由だけで、第一線で活躍できないような職場であってはならないというのが私たちの基本的な考え方です。

所定の時間内で、自分が一番能力を発揮できる場所と時間を選んで仕事ができる制度をしっかり根づかせたい。そして、年に20日ある有休もフルに活用して、心身ともに、公私ともに、充実した状態で活躍して

愛知県でのワーケーション中に、社員とそのご家族が一緒に農業体験をしているところ。

ほしい。そういう組織にならなければ、もう生き残れないという危機感が強くあります。ワーケーションも、ブリージャーも、そのための制度です」（東原さん。以下、同様）

実際にワーケーションを制度として会社で導入するまでには、「休暇中まで働かせるのか」といった声も届くなど、ちょっとしたハードルもあったそうですが、実際にスタートしてみると、意外にも決裁権のある40代以上の社員が真っ先に実践し始めました。「管理職になってからは、なかなか長期休暇が取れずにいたけれど、久しぶりに家族と海外に行けた」「インプットをする旅は、思えば学生の頃以来だったけれど、新鮮な刺激を受けると仕事にもプラスになる」などのメリットを実感した決裁権のある社員が、「これはいい！」とワーケーションのリピーターになったことで、20代、30代の若手社員にもスムーズに浸透していきました。

20代の離職率ダウンに効果

「実際にやってみると、ワーケーションには本当にいろいろな効果がありましたが、企業の人事担当者としては、20代後半の離職率ダウンには特に効果があるのではないかと感じています」と東原さん。新卒で入社した場合、最初の離職ポイントは20代後半にやってきます。本当に入りたくて入った会社のはずだけど、自分はこのままでいいのだろうか？もっと他の世界を見た方がいいのではないだろうか？という漠然とした不安が膨らんでくるのが入社5〜6年目あたりの20代後半です。読者の皆さんも覚えがあるのではないでしょうか。

「その不安は、私自身すごくよくわかるんです。というのも、まさに私がかつて同じ不安を抱えていたから（笑）。JALにどうしても入社したくて入社したはずなのに、30歳前後のとき『このままJALにいてよいのか……』とモヤモヤしていた自分がいました」

そんな中32歳から34歳までの2年間、東原さんは中央省庁に出向することになります。省庁での仕事はかなりハードなものでしたが、「楽しくて、全然苦にならなかった」と言います。

「『JALの人』として、まったく異なる世界に飛び込み、これまで出会う機会のなかった人と知り合い、どんどん新しいことを学んでいく。その新鮮なインプットがとにかく楽しく感じられました。またその過程を通じて、JALのいいところ、帰任したらもっと変えていきたいところ、チャレンジしたいことが明確に見え始め、任期を終える頃には『このままJALにいてよいのか……』という気持ちはどこかに消えていたんです。そしてJALに戻ってくると、前よりも自分の中に浮かんだアイデアを自信を持って社内で発言できるようになっていることに驚きました」

和歌山県でのワーケーション中に、世界遺産となっている熊野古道の修復を手伝っている社員の皆さん。

東原さんの場合、たまたま30歳前半でやってきた“出向”が、「自分の世界」を広げる体験となりました。同じ体験を「旅の楽しさ」をプラスしてできるだけたくさんの社員にしてもらいたいと、現在東原さん自身が社内で推進しているのが「ワーケーション」なのです。

「会社を辞めること自体は個人の人生の選択ですから、最終的には止められません。ただ、なんとなくモヤモヤして次にやりたいことも明確に見えないまま会社を辞めて後悔する、というジャッジをしてしまう人を減らしたいんです。誰もが納得のいくジャッジをして、自分の人生を、JALで働いているときも、退職してからもずっと豊かに生き続けて欲しい。正しいジャッジをするためには、どこかの時点で『自分の世界』を広げる体験が必要だと確信しています」

テレワーク可能な会社ならワーケーションは導入できる

2017年以降毎年、JALでは和歌山県白浜町、鹿児島県徳之島町の他、北海道、愛媛、オーストラリアなどで、社員向けのツアーも実施しています。地域の人と意見を交わしたり、自然の中をトレッキングしたり、異業種交流の要素を盛り込んだり、普段なかなかできない体験を通じて一人ひとりが「自分の世界」を広げられるコンテンツを用意しているそうです。

開始からわずか4年で、テレワーク可能な社員の約20%がワーケーションをするようになったJALは、ワーケーション導入に二の足を踏んでいる企業が多い中で異色の存在です。

「最近では、ワーケーションを導入しようか迷っているという企業の皆さんからよく相談を受けるようになりました。でも、『金融では無理ですよね』とか、『労務管理がハードルで無理ですよね』とか、『無理』であることが前提になってしまっている印象があります。実際はテレワークができるなら、制度上はハードルなくワーケーションもできます。JALでも実際まったく難しいとは感じていません。もっとポジティブに『どうやったら、できるんだろう？』という視点で考えると、意外にスムーズにできるよ、というのが実感です」

出向という形で「場所」を移したことが人生における契機となった東原さんを中心に、社内で推し進められているJALのワーケーション。今後は「地域の人と一緒に楽しむ“街づくりワーケーション”をやりたいんです。それも、できれば47都道府県全部でやりたい！」と準備中です。

次は、「いつでもどこでも働ける」ことが社員の幸福度に直結すると確信して、社内制度として形にしているユニリーバ・ジャパンの例を取り上げます。

LIFE INITIATIVE

Interview:02

Unilever Japan : Yuka Shimada

「いつでもどこでも働ける」は確実に社員の幸福度を上げる（ユニリーバ・ジャパン）

パフォーマンスが最大化する働き方は本人が一番知っている

ワーケーションも、ブリージャーも、テレワーク（リモートワーク）の枠組みの中で実現し社内に定着させたJALですが、同じような取り組みとして知られるのが、ユニリーバ・ジャパンのWAA（Work from Anywhere and Anytime）です。

WAAは、2016年からユニリーバ・ジャパンがスタートさせた制度で、

「地域 de WAA」を進めているユニリーバ・ジャパンの社員の皆さん。
強力なリーダーシップでWAAは導入初年度から定着した。

その名前の通り、働く場所と時間を社員が自由に選べるようにしたもの。いつ、どこで、どんなふうに働けば自分の力を発揮できるかは本人が一番よく知っているはず、という考えのもと、日本法人独自の制度として導入されました。

WAAは新入社員も、マネジャー層も、全社員が対象です（工場や営業の一部は除く）。事前に上司に申請して、業務上支障がなければ、理由を問わず、平日朝5時から夜10時までの間で自由に勤務時間と休憩時間が決められ、自分の好きな場所で仕事ができます（2020年3月以降はコロナ禍により原則在宅勤務）。

「美容院に行きたいから」「スポーツジムに行きたいから」「今朝は気分が乗らないから」「水曜日の午後は趣味のピアノレッスンがあるから」「週1回は他社で副業をするから」……などなど、一人ひとりが自分と相談しながら一日のスケジュールを決められるようになっています。もちろん、この制度を使えば、旅先や帰省先でちょこっと仕事をすることも可能です。導入後すぐに定着し、今では対象部門の全社員がWAAを実践しています。

「WAAは日本に絶対に必要だ」と自らジャパン代表に進言して制度を実現したという、取締役・人事総務本部長の島田由香さんに聞きました。

静岡県掛川市内で地域のNPOとワークショップに参加し、焚火を囲むユニリーバ・ジャパンの社員の皆さん。

「ユニリーバの、日本以外の法人では個人が自分の“ライフ”を意識するのが当たり前なんです。例えば、オーストラリアなら金曜日は昼の3時に仕事は切り上げてサーフィンに行こうとか、アメリカでも夕方4時には帰宅して家族とゆっくりディナーを楽しもうとか。でも、日本ではどこか『歯を食いしばって長時間働いた人がエライ』という風潮が今もありますよね。だから、誰もが自分の人生にアテンション(注意)を向け、所定の時間内で最大限のパフォーマンスを発揮し評価されるようにするにはWAAが必要だと考えました」(島田さん。以下、同様)

地域に貢献した社員には旅費が支給される場合も

2019年の夏からは、進化型のWAAとして、地方自治体と連携したワーケーション「地域 de WAA」もスタート(2020年3月以降はコロナ禍のため休止)。北海道下川町、宮城県女川町、山形県酒田市、福井県高浜町、静岡県掛川市、和歌山県白浜町、山口県長門市、宮崎県新富町の自治体と連携し、それぞれの地域が抱える課題について理解を深めたり、解決策を一緒に考える活動をすると、宿泊費が一部割引または無料になります。交通費は社員の自己負担、勤務中の事故などに備える保険

宮崎県新富町での
地域との繋がりから生まれた
「ダヴ」九州限定デザイン。

料は会社負担にしています。

例えば、宮崎県新富町では「地域 de WAA」をきっかけに自治体との共同プロジェクトが立ち上がりました。新富町には、天然の砂浜が8kmにわたり続く富田浜という海岸があり、毎年春から夏にかけてアカウミガメが産卵のためにやってきます。そのウミガメたちの産卵地を守るため地道な活動を続けている地域の人たちのことを社員が知り、スタートしたのが九州限定デザインの「ダヴ」発売の企画です。

ユニリーバのブランド「ダヴ」のボディウォッシュ詰め替え用のパッケージに、地元の中学生が描いたウミガメのイラストを印刷、九州限定で発売しました。結果、九州地域でのボディウォッシュの売り上げが前月に比べて20%近くアップし、売上の一部をウミガメの保護に尽力している宮崎野生動物研究会に寄付することができました。その後、2021年6月にはプラスチックゴミを減らす取り組みとして、シャンプーやコンディショナーを量り売りする「リフィルステーション」も町内に開設しています。

「地域 de WAA」はスタートしたばかりで、コロナ禍により休止していることもあり「まだまだこれからの取り組み」だと島田さんは言いますが、社員の側は普段関わらない人と出会い刺激を受けることでイノベーティブになり、地域の側はグローバル企業が持つ知識、アイデア、人材に触れることができ、双方にメリットがあると実感しているそうです。

新入社員も転職直後の人も全員が対象

社員自身が、自分が一番パフォーマンスを発揮できると感じる「場所」と「時間」を、自主的に選んでいくWAA。スタートからわずか6か月で定着し、92%の社員が活用する成功例となりましたが、やはり2016年の導入当時はハードルがありました。

「WAAも当初はうまくいくかどうか、もちろん不安でした。WAAの場合は、『サボる人が出てくるんじゃないか』『チームワークがとれなくなるんじゃないか』などというネガティブな声が社内からたびたび出ていました。でも、ジャパン代表の『これは絶対に必要な制度なんだ』と信じる力がとにかく強かったので即実現し、短期間で社内に定着しました。

当初は新卒入社6か月以下の人と、中途入社3か月以下の人はWAAの対象外としましたが、マネジメントで問題なくWAAを適用できると判断して、すぐに撤廃しました。なぜWAAをするのかを社員一人ひとりにしっかり伝えてマインドセットを整え、マネジメントやチームビルディングのトレーニングを徹底して行えば、支障なくWAAができるとわかったんです」

2017年時点でWAAが定着していたため、2020年春以降新型コロナウイルスの蔓延が深刻になってからも、業務に混乱はなくスムーズに進みました。

WAAのような革新的な取り組みを社内で推し進めるには、リーダーシップがすべてだと島田さんは強調します。ユニリーバ・ジャパンの場

自身も熊本県阿蘇市でワーケーション中の島田さん。

合は、信念を持ったリーダーがいたからこそ、ここまでのスピード感で新しい制度を定着させることができました。

エビデンスがなければ決断できないリーダーシップは古い

「WAAのような取り組みによって社員のウェルビーイング（幸福）を高めることが、経営にプラスに働くという明確なエビデンスがないじゃないか、という声はよく聞かれますが、実はエビデンスならすでにたくさんあります。幸福度と仕事のパフォーマンスの関係では、幸福度の高い人の方が、営業成績が37%高い[*]、欠勤が41%少ない[**]、退職が59%少ない[**]、不安全による事故が70%少ない[**]、変化への適応度が45%高い[**]など、数々の調査から定量データが出されています。

でも、数字やエビデンスがないと判断できない、というリーダーシップはもう時代遅れだと思います。必要だと信じているならやってみる。想定外の課題が生じれば、そのつど変更・改善していけばいいだけの話です。実際に新しい取り組みを会社の制度として実現し、定着させていくには、リーダーシップがすべてなんです」

JALでも、ユニリーバ・ジャパンでも、取り組みの根底にあるのは、幸せに働ける「場所」と「時間」を自分でデザインできる自由を保障しなければ、優秀な人材を集めることができないという共通した危機感です。ユニリーバ・ジャパンのWAAに共感し、自社などでも導入を目指す社外のネットワークは年々拡大していて、2021年夏時点でその数は2000人以上にのぼります。今後、個人レベルだけでなく、会社レベルでも「場所」と「時間」をデザインすることが当たり前になっていくでしょう。

次は、社内の枠を超えて、社外のたくさんの会社を巻き込でワーケーションを推進する企業の例として、パソナJOB HUBの加藤遼さんにお話を聞いていきます。

---

* Lyubomirsky, Sonja; King, Laura; Diener, Ed The Benefits of Frequent Positive Affect: Does Happiness Lead to Success?

** Gallup – Gallup's Q12® Meta-Analysis Report – study of 82,248 business/work units that included 1,882,131 employees to examine the true relationship between employee engagement and performance, compares top quartile with bottom quartile

「熱い想い」と「モヤモヤ」が出会い、エネルギーが爆発する体験を（パソナグループ）

明らかにコロナ禍で変わった会社員の意識

パソナグループは、総合人材サービスを手がける従業員約2万2000人（連結）の東証一部上場企業です。2020年には本社機能の一部を、兵庫県淡路島に移したことで大きな話題となりました。グループ会社であるパソナJOB HUBでは、「旅するように働く」をテーマに、2019年から地域複業型ワーケーションとして「JOB HUB LOCAL」を、2020年から地域協働型ワーケーションとして「JOB HUB WORKATION」を推

地域の事業者と都市部の会社員を繋げるワーケーションを企画している加藤遼さん。自身も全国に「複業」を持つ。

し進めています。いずれも、パソナグループが持っている全国の企業とのネットワークを活かし、経営課題を抱える地域の企業と、複業に挑戦したい人をマッチングする取り組みです。

「コロナ前は、20代、30代の参加者が大半を占めていました。“旅するように働く”って新しくてカッコいいよね、という感覚で『やってみたい』という層だと思います。それに対して、コロナ後は40代、50代が急に増えました。これはコロナにより通勤がなくなるなど時間的余裕ができた会社員の方が、自分の人生や働き方について真剣に考える機会を持てたことで、『複業に挑戦してみよう』と思い立った人が応募してくださったのだろうと、私たちは分析しています」（加藤さん。以下、同様）

立ち上げから3年間で、都市部のビジネスパーソン中心に地域の中小企業と約150件のマッチングが成立した「複業型ワーケーション」。実施する「場所」も岩手、広島、香川、愛媛などさまざま、内容も多様ですが、最終的に実現したいことは「たった一つ」と加藤さんは言います。

「これまで本当に多様なイベント、コミュニティ、プロジェクトを動かしてきましたが、究極的に、やっていることは一つだと思っています。それは、想いを持った人と、モヤモヤを抱えている人が出会うことで、

エネルギーが湧き出す機会をできるだけ増やすこと。私たちがパソナグループの中で、"ワーケーション"と呼ばれる枠組みでやっていることは、すべてそこに収斂します」

物事を体感ベースで理解できる人材が強い

実は、加藤さん自身が20代から旅するように働く経験を通じて学んできたことが今の取り組みの原体験としてありました。

「最初のきっかけとなったのは、社会人4年目の2009年に若者の就職支援プロジェクトにアサインされたこと。リーマンショックのため新卒で就職できずにいる若者が10万人（平時は2万人）を超えていた当時、不況の中でも依然として人手不足で困っている地方の中小企業や、わが子が未就職で悩んでいる親御さんのNPO団体を訪ね歩き、話を聞きながらプロジェクトを進めていました。その際、地域の現場に足を運ぶたびに、自分は社会についてなんて無知なんだろう……と愕然としたんです」

2011年、加藤さんは東日本大震災の被災地復興支援のプロジェクトにアサインされます。そこでも同じように「社会について自分は何も知らないんだ」と思い知らされることになります。

会社の業務としては数千人を無事に就職マッチングして成果を出すことができましたが、一方で根強い無力感が残りました。「社会の問題点を解決する」という企業理念に共感して入社したのに、それが十分にできていない……。その想いが、現在携わっている「JOB HUB LOCAL」や「JOB HUB WORKATION」の取り組みに繋がります。

「“旅するように働く”の最大の意味は、物事を体感ベースでしっかりと理解すること、そして地域で想いを持って働いている人たちと出会い、そこに自分自身の人生がクロスしていくことにあります。それは、私自身の強烈な原体験でもありますし、これまでパソナJOB HUBの事業を通じて地域の複業にチャレンジしてくださった数千人の皆さんの姿を見ていても実感します。

岩手県釜石市でのワーケーション中、都市部からやってきたビジネスパーソンが地域の課題についてみんなで考えている様子。

ここ数年、自律型人材の育成が急務だとビジネスの現場では盛んに言われますが、『体感ベースで理解する→想いを持つ人と出会う→自分の人生を重ねる』という一連のサイクルがまさにそうした人材の育成に繋がると思います。『場所』を変えることで生じる新鮮な体験により、これまで自覚していなかった新しい自分と出会い、やりたいことの輪郭が明確になり、エネルギーが湧いてくるんです」

その人の「意外な一面」が発揮される副業型ワーケーション

「旅するように働く」をテーマにした「JOB HUB LOCAL」と「JOB HUB WORKATION」には、これまでに150社からのべ約2000人（フリーランスを含む）が参加しています。例えば、JOB HUB LOCALで、岩手県のお餅メーカーで副業をした東京の大手IT企業勤務の男性の場合。最初は期間限定の「お手伝い」だったのが、社長の濃いキャラクターと熱い想いに共感して意気投合、結局会社に直談判し副業として長期でしっかりコミットできる体制を自ら作り上げたそうです。

「彼のような例は頻繁にあります。特に大組織の中で働いていると、『顔が見える小さな関係性の中で仕事をする』『強烈なビジョンを持った熱量のあるリーダーの下で働く』という体験は失われがちです。でも、旅先で複業にチャレンジすると、そうした体験ができる可能性はかなり高い。それも都市部のビジネスパーソンが参加する大きな魅力の一つだと思います。

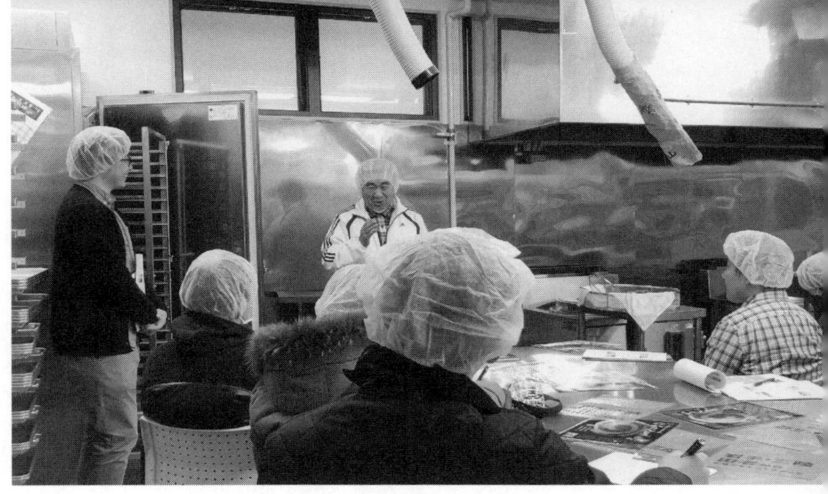

岩手県宮古市で、都市部から「複業」のために参加したビジネスパーソンが、地域の菓子製造業の皆さんと交流しているところ。

ワーケーションプログラムに参加を決めた都市部の企業の方からよく寄せられる感想が、『こんな社員がいたんだ！』という声です。複業型のワーケーションを通じて、普段オフィスにいるときには見られないその人の意外な一面が現れ、本当は『こんなに行動力のある人だったんだ』『こんなに情熱的な人だったんだ』と周囲が驚くような変化を見せるケースがよくあります。場所を変えて新鮮な刺激を受けることで、その人の中で眠っていたポテンシャルが表出し、それが自信にも繋がるので、人材育成の面でポジティブに捉えられています」

「私自身がそもそも自分で何かをゼロから立ち上げるよりも、熱い想いを持った人を手伝うことに大きな喜びを感じるタイプ」という加藤さん。熱い想いを持った人と出会える「場所」に身を置いていたいと、現在は京都、徳島、岩手など全国で10以上の複業を持って動き回っています。

ワーケーションを社内に広げよう

現在、ワーケーションを社会の中でどのように位置付けるかについて、いろいろな場で議論されています。人を送り込む側の企業にとっては、社員をリフレッシュさせてQOLを上げ、労働生産性を改善することができるだろうから「福利厚生」に含まれるのではないか。新しい環境での事業創造や異業種交流によって人材育成の機会になるのだから「研修」に近いのではないか。あるいは、地方の課題解決によって社会をよりよくすることに貢献できる要素も多いから「CSR（企業の社会的責任)」を果たせるのではないか。人事部、それに付随する働き方改革系の部署、CSRやソーシャルイノベーション系の部署、地方創生系の部署など、企業の中でワーケーションに興味を持っている各部署の皆さんは、この新しくやってきたワークスタイルをどう捉え、会社に取り込んでいくか頭を悩ませています。

ワーケーションは、「福利厚生」なのか？

「研修」なのか？

「CSR活動」なのか？

結論から言えば、どれも当てはまります。**ワーケーションは、福利厚生であり、研修であり、CSR活動です。**すべての要素をあわせ持っています。この章の前半でワーケーションの「型」を紹介しましたが、どの「型」もこの3つの要素を含んでいます。

それでも、企業にとっては、

- 本当に、労働生産性は上がるのか？
- 本当に、人材育成になるのか？
- 本当に、イノベーティブなアイデアや事業は生まれるのか？
- 本当に、優秀な若手社員の離職率ダウンに繋がるのか？

といった疑問がまだまだ根強くあり、社内の制度を変更してまで社員をワーケーションに送り込むことに積極的になれずにいます。現時点(2021年夏)では、ワーケーションを実際にやっている人はほとんど個人として動いていて、会社公認で実践している人はごく一部に留まっています。

一方で、社内の経営層やその他の意思決定層など決裁権を持つ人が、実際に自分でワーケーションを体験し「これは意味がある」と実感した場合、そのあとの企業の動きは比較的スムーズです。私たちが企画するワーケーション・イベントの参加者もほぼ個人として来ていますが、なかには理解のある上司の方が「絶対に行った方がいいから、ぜひ行ってこい」と力強く後押ししてくださって、法人として参加している例も少数ながらあります。

「ワーケーションって、本当にいいの？」と疑問を感じている、企業の意思決定層の方がいらっしゃったら、一度ご自身でワーケーションにチャレンジすることをおすすめします。

経営層がワーケーションをする本当の理由

五島でワーケーションに挑戦した人の中に、大手企業の役員クラスの方がいました。ヤマハ発動機の白石章二さんです。白石さんは複数の外資系戦略コンサルティングファームでパートナーを務めたのち、執行役員クラスのフェローとしてヤマハ発動機に転身。現在は、社内で複数の新規プロジェクトを立ち上げながら50人のチームをマネジメント、社外でもベンチャー投資に携わり、一年の半分は海外出張で世界中を飛び回るという生活を送っています。

白石さんは7泊8日の日程でワーケーションにチャレンジ。週末に来て帰ることで、平日の時間を移動に取られないように工夫したそうです。会社には普段通り「出張扱い」で参加、部下にはGoogleカレンダー上で「リモートワーク中」とだけ伝え、アポを取りたい人はいつも通りクラウド上で申請してもらうようにしていました。

ワーケーション初挑戦ながら、普段からヨーロッパ、アフリカ、アメリカ……と出張で世界中で仕事をしながら日本国内のチームのマネジメントをしている白石さんにとって、「ケニアのナイロビにいようと、五島にいようと、変わらない」とのこと。取り立ててワーケーションというよりも、ただ単に淡々とテレワーク（リモートワーク）をしていた感覚だったようです。

ヤマハ発動機の白石章二さん。大企業の経営層として会社公認で7泊8日のワーケーションに挑戦した。

「隙間なく緻密に予定を立てる旅も好きですが、ワーケーションに関してはそれをしない方がいいと感じていました。なので、部下がGoogleカレンダーに予定を入れてこなかったところに、『夕方釣りに行こう』とか、『自社の電動自転車で島内をサイクリングしてみよう』とか、『たまたま知り合った人と飲みに行こう』とか、そのときどきでやりたくなったことがあれば、前日、前々日など天気が見えた時点で予定をブロックするようにしました」（白石さん。以下、同様）

緻密さを求められるビジネスの世界で生きているからこそ、ワーケーションには「余白」を持つ。白石さんの場合、平日の昼間はコワーキングスペースで英語でのミーティングを立て続けにこなしたあと、カフェスペースに遊びに来ていた地元高校生の進学相談に乗ったり、20代、30代の参加者と一緒に酒蔵見学に出かけたりと、オフの時間も満喫していました。

「仕事をする上で、普段からたくさんの物事に触れていることがとても大事です。新しい企画や斬新なアイデアは、そういう刺激がエネルギー源となって生まれてきます。また経営面でも重要な意思決定をする際には、物事を自分の目で見ている人材が最終的には強いんです。人から聞いた話では意思決定をする勇気が湧きません。いくら緻密な数字やデータが膨大にあっても、最後は自分の体感知で『これはいける』と飛ぶしかない局面は、どうしてもあります。なので、普段から自分の身体で感じて頭で考える“体感知”を鍛えておくことが非常に重要です。その意味で部下にはワーケーションを強くすすめます」

そして、白石さん自身がワーケーションを体験したことで、確実にチームの雰囲気に変化が生まれたそうです。

「私のような立場の人間が、1週間とか思いきってワーケーションをすることで、チーム全体が"そういう働き方をしてもいいんだな"と理解してくれたのがよかったですね。やっぱり組織の意思決定層が実際にやらないと、社内の雰囲気は変わっていきません」

ワーケーションをすると、脳波が変化する、血圧が下がる、ストレスレベルが下がる……など、いわゆる「科学的エビデンス」が現在様々な機関で調査されています。社内の制度自体を変えていくには、もちろんそうした客観的データも必要だと思います。

でも、最終的には、組織の意思決定層がどんなワークスタイルをよしとするか、社員の皆さんにどんなふうに働いてもらいたいか、そして社会の中で自分たちの会社がどういう役割を果たしていきたいかなど、「経営のwill」で決まります。

「今の自分」にフォーカスすれば、最高の形が見つかる

もし自分がワーケーションに挑戦してみるとしたら、どんなワーケーションにしたいかだいぶイメージが湧いてきましたか？もうおわかりだと思いますが、ワーケーションに「これ！」といった正解はありません。「今の自分」にフィットするものを、どこまでも模索し続けていくのが

ワーケーションです。そして、模索そのものを心から楽しめるようになったら「プロ」です。

そのときどきで「今の自分」が欲していること、考えていること、悩んでいること、感じていることは違います。半年前の自分が「こんな旅ができたらサイコーだなあ！」と思い描いていたことが、「今の自分」にもしっくりくるとは限りません。過去の自分はアクティブな旅を求めていたけれど、「今の自分」はもっと落ち着いた旅を求めているかもしれません。

大切なのは、「今の自分」にとことんフォーカスすることです。

疲れた心身を癒やすことに集中したい。身体を思いきり動かしたい。家族との時間を見つめ直したい。ひとりきりになりたい。夫婦の関係を修復したい。今の会社を辞めるかどうか決めたい。独立する気はないけど、仕事に新しい「展開」が欲しい……。「今の自分」はいったい何を求めているでしょうか。この章で紹介した例を参考に、引き続き「今の自分」に耳を傾けてみてください。

山口周さんコラム❹

「リモート・リーダーシップ」が育たない日本の未来

リモートワークが当たり前になった時代に、会社の側はどうするのか？という問題も重要です。コロナ前と同じように「毎日会社に来い」と社員に求めるのか、それとも「週に1回だけ出社すればいいよ」とするのか。どちらの方向に舵を切るのか、会社の主体的なwill（意思）、さらに言えば、社員の幸福をどんなふうに考えているのかという価値観が問われる時代になりつつあります。

この点に関しては、すでに会社間で多様性が生まれています。相変わらず東京の丸の内や大手町に大きなオフィスを構えて「毎日会社に来い」と言っている企業もあれば、地方やクラウド上にオフィスを移して「出社しなくていい」「どこに住んでもいい」というメッセージを社員に発している企業もあります。米フェイスブックはパンデミック収束後もリモートワークを認めると発表しましたし、日本企業では富士通がリモートワークを活用して2022年度末ま

LIFE INITIATIVE
Column:04
Shu Yamaguchi

でにオフィス規模を50%ほどに縮小すると打ち出しています。

労働市場における競争という意味では、同じお給料であれば、「毎日会社に来い」と要求する企業よりも、「出社しなくていい」「どこに住んでもいい」という企業の方が選ばれるでしょう。つまり社員が住む場所・働く場所を自由に選べるかどうかで、採用競争力に大きな差がつくわけです。

さらに言えば、リモートワークが当たり前の時代に、通勤を強いることの倫理的問題もあります。東京の場合、会社員の平均的な通勤時間は片道約50分とされています。往復で約2時間ですが、この時間に対して報酬は払われていません。

言ってしまえば、hidden work（隠された仕事）なのです。これだけ職場におけるダイバーシティ&インクルージョンや女性活躍が声高に叫ばれている時代に、毎日2時間も無報酬の仕事を強いることは、企業のモラルとしてどうなのだろう？と首を傾げずにはいられません。

マネジメントという点では、オフィスのように1か所に社員が集まる方が断然ラクです。リモートワークで働く部下に対して望むような成果を出してもらえるようマネジメントするには、相当高いスキルが求められます。実際、日本の大企業のマネジャークラスの中でそこまで高度なマネジメントスキルを持ち合わせている人は、1〜2割しかいないと言われています。大半の人は、目の前にいる部下に対して場当たり的に指示を出しながらわちゃわちゃと業務を進めています。

日本において遠隔で人を動かす「リモート・リーダーシップ」が根づかなかった理由は、地理的条件もあると考えています。日本は国土が狭いので、物理的に会おうと思えばすぐに会えてしまいます。これに対して、国内で時差が設定されているアメリカのような広い国では、ある程度のポジションまで上がると部下と会わずにマネジメントすることが当たり前とされています。

これだけリモートワークが浸透した時代に、組織の能力として「リモート・リーダーシップ」が欠如していることは、とても大きな問題です。

下のグラフを見てください。

「在宅勤務の生産性はオフィス勤務よりも低い」という回答が日本は40%と、他国に比べてダントツに高いことがわかります。「低い」と感じる理由としては、通信環境やオフィス機器等への投資が不十分であることなども挙げられていますが、一番の原因は「リモート・リーダーシップ」がきちんと育っていないことにあると思います。

この前提に立つと想定されるのが、新型コロナウイルスによるパンデミックが収束した時点で、マネジメントの問題から「オフィスに戻ってこい」と社員に要請する企業が日本では多いのではないかということです。

ところが、優秀な人材ほど、自分が快適に過ごせる場所でリモートワークできる企業や仕事の選択肢は広がっていますから、市場価値の高い人から順に離れていくでしょう。現に、そうした人材はすでに都心を離れ、自分の好きな場所に土地を購入して、住まいを整え始めています。

在宅勤務での生産性は、
オフィスで勤務するより下がるとした回答者の比率

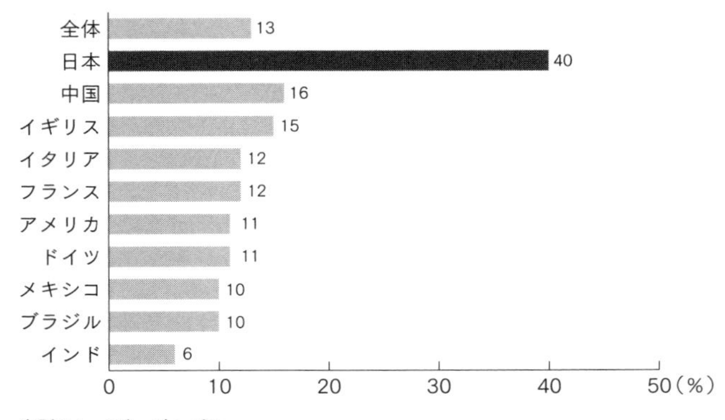

出所：レノボ・ジャパン

リモートワーク時代に苦しむことになる日本企業は、相当あるだろうと思います。苦しみの原因は2つあります。1つ目はマネジメント能力の低さ、2つ目はエンゲージメントの低さです。

マネジメント能力の低さについては、すでに書いた通りです。目の前にいない人たちを組織としてある方向に引っ張っていくマネジメント能力が、先進国の中で際立って低いのが日本です。エンゲージメントの低さとは、要は自分の仕事の意味合いがわからず、やりがいが感じられないということです。

これは非常に深刻な問題です。在宅勤務中、始業時間になればなんとなくパソコンを開いて前に座ってはいるけれども、仕事そっちのけで画面でマンガを読んだり、動画を見たり、デイトレードをしたりしていてもわかりません。そうすると、社員がどのくらいの頻度でキーボードを打っているか、一日に何通メールを出しているかなどを計測して監視を強める企業が出てきます。

結果、優秀な人材ほど会社からの監視を嫌いますから、どんどん辞めていくことになるでしょう。最終的に会社に残るのは、監視の目をかいくぐってできるだけ仕事をせずにぶら下がってやろうというピラニア人材ばかりになります。歴史上初めて、会社が従業員に搾取される時代がやってくるわけです。

この状態を放置したままでは、10年後この国は大変なことになっていると思います。通勤に費やしていた時間を有効に使って、自分が本当に心地のよい場所で濃度の高い仕事をする人と、本業の時間さえサボってパソコンの前でスウェット姿でマンガを読み続けている人に二極化するでしょう。

現に、コロナ禍でリモートワークが浸透してから急激に多忙になった人が僕のまわりにいます。次のミーティングに瞬間移動できるので、仕事の生産性が何倍にもなって非常に充実しているそうです。

日本の場合、毎日オフィスに物理的に集まることが、一つの社会資本になっていたのかもしれません。日本人は「恥ずかしい」という感覚が強いので、たとえ仕事にやりがいや意味を感じていなくても、オフィスにいて目の前に上司や同僚がいる以上、働いてしまいます。仕事をせずに怒られたり、出世で負けたりするのは「恥ずかしい」から、やる気はなくても頑張ってしまうのです。

そうした「恥の文化」が、腐っても日本をGDP（国内総生産）世界3位の国にしてきたとも言えます。ところが、リモートワークの浸透によってこの社会資本が失われてしまったら、大変なことになります。その意味で、企業としても今、大きな転換点を迎えているのです。

第5章

旅するだけで
終わらない
進化系ワーケーション思考

「5年後の自分」を自由に妄想してみる

「生きたい場所」で進化する人たち

自分の好きな「場所」を選んで働くことが、少しでもリアルな選択肢として見えてきましたか？ビジネスパーソン一人ひとりはもちろんのこと、時代の流れに敏感な企業もすでに舵を切りつつあることを肌で感じていただけたと思います。

この章では、「ワーケーション」という入り口から自分の人生を大きく変える「場所」と出会い、地域の中で、地域を越えて、やがて国境さえも越えてwillを叶えている人たちの話を聞いていきます。その生き方は、わかりやすい言葉にすれば「2拠点居住」「移住」「起業」といった表現になるかもしれませんが、どの例にも共通しているのは、「場所」をずらしたことを起点に、自分の人生にも周囲の人の人生にも、大きな変化が生まれていることです。最初は「非日常」のはずだったワーケーションが、日常のライフスタイルの中に溶け込んだとき、どんな変化が生まれたのでしょうか。

ここからは、頭の中で3年後、5年後の自分をのびのびと妄想しながら読み進めていただけたら嬉しいです。「会社が……」「家族が……」「収入が……」といった心のブレーキはいったんすべて取り外して、「こんな人生も楽しいかもしれないなあ」と思えるサンプルを自由に探してみてください。

最初の例は、「オフィスから離れて自宅でテレワーク（リモートワーク）→日本各地の気になる場所でワーケーション→今の自分に合った場所に移住しテレワーク」というふうに7年かけて少しずつ段階を踏みながら、そのときどきの自分にとってしっくりくる「場所」と「時間」を見つけていった、山本裕介さんの場合です。

実は山本さんは、全国のリモートワーク推進者を繋ぐLOCAL REMOTE WORK NETWORKを運営するなど、テレワークの黎明期から「旅しながら働く」を実践してきた、国内リモートワーカーの草分け的存在として知られています。そんな山本さんが在宅勤務から移住まで、無理せずゆっくりと軸を動かしていった様子を聞きました。

テレワークから7年かけて ゆっくりと軸を動かす

すべては「世界遺産で働く」から始まった

外資系大手IT企業でマーケターを務める山本裕介さんが、「オフィス以外の場所で働く」ことに初めてチャレンジしたのは、2014年頃。2年前に長男が、続いて次男も生まれたタイミングでした。社内でも、より多様な人材が働きやすくなるように、仕事をする「場所」を自由にしていこうという流れができ始めた時期。今ではよくある光景ですが、オンライン会議に生まれたばかりの赤ちゃんを抱いてあやしながら参加する山本さんの姿が、当時はまだ珍しがられる雰囲気でした。飲食関係で働く妻と交代で東京・渋谷の自宅にいて二人の子どもの世話をしつつ、週2日ほどテレワークをする。そんなワークスタイルが5年ほど続きました。

2016年には、初めてワーケーションに挑戦。最初の旅先は、北海道・知床でした。きっかけはウェブ上でたまたま「世界遺産で働きませんか？」というキャッチコピーの募集サイトを見かけたこと。「すごく面白そう！」とピンときて申し込み、同僚と一緒に4日間滞在してみることにしました。

当時はまだ「ワーケーション」という言葉もなく「ふるさとテレワーク」と呼ばれていた取り組みで、山本さんは、地域の法人が運営するコワーキングスペース併設の宿泊施設に滞在。「ルーティンの仕事をする

2016年に人生初のワーケーションとなった北海道・知床で。ここから4年間、全国各地で時には家族も連れてワーケーションを実践するようになった。

時間：それ以外の時間＝6：4」ほどのバランスでマーケティングの業務をこなしながら、施設に常駐する地域の人が「鮭の遡上を見にいくか？鮭に触れられるよ」「早朝なら鮭の水揚げも見られるよ」と誘ってくれるたびに、「行きます！」と一緒に出かける。そんな時間を過ごしました。

結論からいうと、この人生初ワーケーションの4日間は、山本さんにとって「最高だった」そうです。「自然に囲まれた楽園みたいな場所で不自由なく仕事ができて、普段は絶対に得られない『知的刺激』にたくさん出会える。こんな最高な働き方があったのか！」と感動し、翌年には家族を連れて再び知床でワーケーションにチャレンジ。子どもたちもビーチで遊んだり、地元のお祭りに連れていってもらったりして満喫しました。

「100% WORK」だからこそ、好奇心が満たされる

山本さんにとってワーケーションをする最大の意味は「知的刺激」です。

「ワーケーションは、いわゆる観光旅行とは全然違うものだと思います。普段の仕事を持って、ある意味『生活の延長』として出かけていくのがワーケーション。だから、旅先での視点も普通の観光とは違って『生活の延長』なんです。旅先で出会う地域の人の、それぞれの生活を知るだけですごく楽しい。漁師さんの話を聞くだけでワクワクする。大漁の年には半年で2000万円は軽く稼げちゃうけど、不漁の年は本当に大変だ

とか。稼いでもすぐにパチンコで使っちゃうとか（笑）。そんな会話がたまらなく面白いんです。

究極の話、ワーケーションには観光コンテンツなんて特になくてもいいと僕は考えています。『生活の延長』として出かけていって、地域の人の『生活』に直に触れる。それだけでものすごく価値のある知的刺激になります」

2016年から4年かけて国内15か所ほどでワーケーションを実践し、やがてリモートワーカーたちのオンラインコミュニティを立ち上げることになった山本さんですが、ワーケーションについてよく言われるWORKとVACATIONの区別にはずっと違和感を覚えています。

ワーケーション中は、ルーティンワークの時間以外も仕事のヒントを探してWORKのアンテナは常にONの状態で過ごしているという。

「僕自身はワーケーションにVACATIONはないと思っています。自分が知らない世界を経験したり、そこで得た知識を仕事に活かしていくことまでWORKに含めて考えるなら、起きている時間全部がWORKじゃないか、と。

僕の場合、専門がマーケティングで、いろんな問題をITの力で解決していくことが会社のミッションなので、ワーケーション先でも地域の人と話しながら『ITで役に立てることはないか？』と常に探しています。もちろん、旅先にはパソコン、スマホ、名刺の3点セットは必ず持っていきますから、滞在中は基本的にずっとONの状態です。漁師さんと鮭の遡上を見にいくときも、地域のお祭りに参加しているときも、いつでも仕事のアンテナが立っています。つまり五感を通して入ってくる情報がすべてWORKに関連づいているわけです。だから、僕にとってワーケーションは100％WORKなんです」

日本の地方は「リフレーミング能力」を上げるチャンスであふれている

例えば、日本初のゼロ・ウェイスト・タウン（ゴミ自体を出さないようにする取り組み）として知られる徳島県上勝町でワーケーションをしていたときのこと。ゴミの分別場所を町外から訪れる人のための宿泊施設にしてしまった「ゼロ・ウェイストアクションホテル“HOTEL WHY”」の予定地を見学した山本さんは、軽い衝撃を受けます。

山本さんにとって新鮮な刺激となった、ゼロ・ウェイスト・タウンを目指している徳島県上勝町の「HOTEL WHY」。
（Transit General Office Inc.　SATOSHI MATSUO）

「都会に住む人は、このホテルを『エコ』『サステナブル』『SDGs』といった文脈の取り組みとして見ていましたが、実際に現地を訪れて地域の人から話を聞くと、全然違っていました。地元にとって、この一連の取り組みは財政難への対応としての意味合いが大きかったのです。ゴミを処理する予算がもう町にないから、住民自身の手でとことん細かく分類し、可能な限りゴミ処理にかけるコストを減らしていく。ホテルはその象徴としての場所でした」

これまで自分が「エコ」「サステナブル」「SDGs」の文脈で見ていたものを、「切実な財政難への対応」という異なる文脈で捉え直すことは、「フレーミングを変えるという意味で、特にマーケターである自分にとってすごく勉強になった」と山本さんは言います。

こんなふうに「生活の延長」で出かけていくワーケーションでは、旅先で出会うあらゆる刺激が学びとなって自分のWORKに繋がっていきます。無意識のうちに自分の中に定着しているフレーミング（思考の枠）が、地域の人の「生活」に触れることで自然に外れ、違ったフレーミングで物事を考えられるようになることもワーケーションをする意味なのです。

「ライフワークとライスワークという区別に個人的に違和感があるんです。食べていくためだけに嫌々やっている仕事（ライスワーク）なんて、本来ない方がいい。完全になくしてしまうことは難しくても、人生におけるWORKができるだけ多くの部分、心底楽しめるライフワークであることを目指したいですよね。その意味で、100％WORKのワーケーションは、大きなヒントになります。

自分の中に染み付いた『仕事（WORK）って、こういうものだよね』という思い込みを一度外してアンラーンしていく。そして新鮮な刺激を通して、再びラーンする（学ぶ）。このアンラーン→ラーンの繰り返しで、人間は成長していくんじゃないかな、と思います」

移住するなら、本当に変えたい「軸」だけを慎重に選ぶ

初めてワーケーションに挑戦した2016年から4年後の2020年春に、山本さんは20年以上暮らした東京を離れ、長野県軽井沢町に移住しました。移住を決めた理由は、日本各地でワーケーションをした経験から「必ずしも東京でなくても働けるし、生きていける」思ったこと、そして子どもたちが自然の中でのびのび過ごしていると感じられたことでした。ちょうど軽井沢に新設の学校ができ、その理念に共感したことも大きかったといいます。

東京を拠点に各地でワーケーションをする生活から、移住を決めた山本さんですが、「場所」を選ぶときに気をつけていたことがありました。それは「一度にたくさんの軸を移しすぎないこと」。山本さんは、妻と

ワーケーションからさらに踏み込んで移住をするなら、一度にたくさんの「軸」を動かしすぎない方がいいと山本さん。今回は「子どもの学校」を中心に考えた。

二人の男の子の４人家族。家族にとってこれからを生きる「場所」を選ぶ「軸」はたくさんあります。例えば、「山本さん自身の仕事」「妻の仕事」「子どもの学校」「子どもの友達」「山本さんのコミュニティ」「妻のコミュニティ」……などなど。こうした「軸」のすべてを一度に全部変えてしまわないこと、今本当に変えたい「軸」だけを慎重に選んで東京から軽井沢へ移すことを意識しました。

「子どもの教育のために、自分や妻の仕事、所属するコミュニティも全部変えるのはよくないなと感じていました。だって、もし子どもが学校になじめず『嫌だ！』となってしまったときに、親が『おまえのために俺たちはすべてを捨てたんだぞ！』と言い出すのは不幸ですよね。

だから、今回の移住の際には、『子どもの学校』と『妻の仕事』という軸だけを移すことに決めました。僕の仕事はそのまま。移住すると所属するコミュニティが変わってしまって不安という人がいますが、今はオンラインでも繋がれます。また実際やってみると、東京のコミュニティは維持しつつ、自分と同じように移住してきた方、地元の方、別荘の方といった新しい方々とコミュニティが広がっていく感覚があります」

移住も自分にとって心地のいい「場所」を見つけるための手段です。

山本さんが移住2年目にオープンしたコミュニティ・カフェ「日々」。

すっぱりすべてをリセットしてしまうのではなく、自分にとってちょうどいい数の「軸」を移せる「場所」をじわじわと探すこともポイントのようです。

現在、山本さんは移住2年目。「地元の方、移住者の方、別荘を持っている方、観光で訪れる方、そして学校帰りの子どもたちも老若男女関係なく、地域で同じ時間を過ごす方々の、重ねていく日々に寄り添える場所を作りたい」という思いが高じて、2021年7月にはコミュニティカフェをオープンしました。店舗の開店準備から食材の仕入れまで地域の事業者さんと一緒に作り上げ、カフェとしてオープンしていない時間帯はイベント用などに貸し出しています。東京から子連れで引っ越してきた山本さん自身にとって、自分と同じような移住者にとって、そして古くから地域に住んでいるご近所さんにとって「あったらいいな」と思える空間を思い描き、模索しながら運営しています。

LIFE INITIATIVE

Interview:05

HafH Ryo Osera

日本を飛び出し、世界を拠点に「走り続ける人」を応援したい

自分の好きな「場所」に新しい風を送り続ける

知的刺激を求めて日本各地でワーケーションをするうちに、「移住」という選択をした山本さんに対して、「旅をしながら働く」をコンセプトに、日本を飛び出し世界中に888の拠点を持つ定額制宿泊サービス「HafH（ハフ）」を立ち上げたのが、株式会社KabuK Style（カブクスタイル）社長／共同創業者の大瀬良亮さんです。

「世界にも、日本の地方にも、眠っている魅力はたくさんある。そこに自分が“移住”するのではなく、外から風を送り続ける存在でいたい」

「外の世界に出たい」と東京で働き始めてからも、長崎のために何かしたいという想いは抱えて県人会を立ち上げるなど活動していた20代。

という大瀬良さん。これからの時代、ワークスタイルに「旅」を取り入れる本当の意味とは何なのか？について聞きました。

大瀬良さんは1983年、長崎生まれ。江戸時代に交易の拠点として栄えた出島で育ち、2歳から12歳まで毎年夏は祖母の家がある五島列島で過ごすという子ども時代を送りました。「生まれながらに今でいう2拠点居住をやっていたのかもしれないですね」と笑う大瀬良さんですが、成長するにつれ、ずっと好きだった地元・長崎から「早く出たい……」という思いが膨らんでいきます。その原因は、地域の大人たちや同世代の友人がたびたび口にする「この街に未来はない」「この街はもうダメだ」という言葉。無意識のうちにそういう言葉を自分の中に取り込んで、大学進学を決める頃には、「外の世界に出たい」と強く願うようになっていました。

「でも、やっぱり自分が生まれ育った長崎は好きでした。その想いは、関東の大学に進学し、そのまま東京の広告代理店に就職してからも変わらないばかりか、行動をともなって膨らんでいきました。県人会を立ち上げたり、希望と夢がいっぱいのフェイクニュース新聞『長崎未来新聞』を制作したり、長崎に落とされた原爆の実相を世界に伝える多次元

パソコン、Wi-Fi、スマホさえあれば、本当に地球上どこでも仕事ができるんだと、内閣広報室への出向を機に気づいた大瀬良さん。

デジタルアーカイブ「Nagasaki Archive」に携わったり、細々と長崎のための活動は続けていたんです」

目まぐるしい「移動」を繰り返して気づいた２つのこと

外から新しい風を吹き込むことで自分の故郷を元気にしたい。その想いは、広告代理店で自治体の広報PRを手がけるようになったことで、長崎だけでなく日本のあらゆる「地方」にまで広がっていきます。

「新鮮な風を送り込み続けることが自分の役割なんだ」と信じて、行動を起こし続けていた大瀬良さんにとって、大きな転機となったのが、2015年から2018年にかけて内閣広報室に出向したこと。そこでは日本政府のSNSディレクターとして、政府要人に同行し世界中を飛び回りながら情報を発信する仕事を担当していました。在任中、訪れた国は延べ70か国、政府専用機による移動距離はなんと地球15周分。朝イギリス・ロンドンに着いたかと思えば、昼にはドイツ・ベルリン、夜にはベルギー・ブリュッセルにいるというような目まぐるしい日々を送っていました。隙間時間を見つけては、街に出て人と話し、土地の空気に触れ、また次の目的地へ……。

そんな生活を送る中で気づいたことが2つありました。

1つ目は、「本当にどこでも仕事はできるじゃん」ということ。パソコン、Wi-Fi、スマホさえあれば、地球上どこにいても何不自由なく仕事ができることが、明確に実感できたのです。それまでも頭の中では「できるはず」と考えていたものの、それが完全に確信に変わりました。

そして2つ目は、「日本が危機的状況だ」ということ。

「日本の人って、日本が世界で有数の魅力的な場所だと思っていますよね。安全で綺麗だし、美味しい食があるから、外国の人は選んでくれる、と。でも、もはやそうじゃないんです。世界に出かけいろんな人と話して僕自身ショックだったのは、日本が"選ばれない国"になりつつあること。

アジアに住む優秀なエンジニアにとって、日本は台湾や韓国に次ぐ3番人気だと、海外で知りました。世界の優秀な人材は、自分のスキルやキャリアが一番高く評価される『場所』を選んで働きます。そういう場所として、日本は今やナンバーワンではなくなっています。悲しいですが、これは明らかです」

あえて「場所」を絞らないことで見えたミッション

行く先々で出会う人に、日本をどう見ているかを尋ねるようにしていた大瀬良さんは、それまで自分が信じていたほど日本という国の存在感がないことに初めて気づきます。そして、地元長崎や日本の地方に風を送るように、世界で“選ばれない場所”になりつつある「日本」に風を送りたいと願うようになります。

3年の任期を終え大手広告代理店に帰任した大瀬良さんを、さらなるショックが襲います。それは、**日本では「みんなが走らなくなっていること」**。ちょうど、大瀬良さんが勤務する大手広告代理店が、過労死やパワハラの問題で激しいバッシングに遭っていたタイミングでした。夜10時にはオフィスのすべての電気が消され、パソコンも開けない。メールの送受信時刻までチェックされる。大好きな仕事を思いきりしたくてもできない状態が、当たり前となりつつありました。

「走りたい人と走りたくない人がいるのは仕方のないことです。もちろ

世界のノマドワーカーの動向も、海外でのカンファレンスなどを通じてキャッチしている。（CU Asia 2020 official）

ん、走らずゆっくり生きていきたい人の自由は守られるべきですが、一方で全力で走り続けていたい人の自由も守られてほしい。今の日本を覆う空気って、どこか『走らない＝正義』というところがありますよね。ワークライフバランスしかり、働き方改革しかり、国内でなされるワークスタイルをめぐる議論の根底には、常に『働くことはつらいことだ』『できれば働きたくない』という感覚があるように思えてならないんです。

*　でもそれって、心底ワクワクするような、『やりたい！』って居ても立ってもいられなくなるような仕事をしている人が、極端に少ないからじゃないか、と。僕のまわりの優秀な人材も、大手企業で新規事業やイノベーション推進のプロジェクトに関わっていたりしますが、どこかやりにくそうにしています。*

*　せっかくいいアイデアを考え出しても、社内で議論する過程で潰されてしまう。大企業が社内外のベンチャーやスタートアップに出資するCVC（コーポレート・ベンチャーキャピタル）も、形だけで実質的なイノベーションに繋がっていない。そういう熱量の低い現場をあちこちで見聞きします」*

　帰任後、同世代の仕事仲間と話をする中で、日本を、走りたい人が思いきり走れる社会にしたい、そして自分自身も走り続けていたい、という想いが高じ、前述の通り、2019年に共感する仲間と共にHafHを立ち上げました。

「日本では、ビジネスは課題解決であるとよく言われますが、本当はそ

うじゃない。『何がなんでも実現したい！』『心底やりたい！』と思えることをやるのがビジネスじゃないでしょうか。

今、伸び盛りのアジアやアフリカの国で次々に生まれているビジネスを見ると、事業に取り組んでいる人たちの中に強烈な『これがしたい！』があります。課題解決うんぬんよりも、自分たちはこれがどうしてもやりたいからやっているんだ、という勢い。走りたくて仕方ないから走ってるんだ、というスピード感。そういう熱量があふれ出しています」

「これがしたい！」という無敵の熱量を取り戻そう

HafHのユーザーである、世界中を移動しながら働く「デジタルノマド」と呼ばれる人たち（詳しくは次項）の中にも、やはり**自分は今、「これがしたい！」「ここで過ごしたい！」「こんな仲間と一緒にいたい！」という明確なwillがあるといいます。**

いつの間にか「走らないこと」が当たり前になってしまった日本に、HafHというサービスを通じて、「これがしたい！」という熱量を呼び込みたい。熱量を持った人の流れが日本の都市から地方まで全国をめぐるようにしたい。それがHafHというサービスに通底するパッションです。

「バリ島やベトナムのコリビング施設に滞在している人を捕まえて、『どうして日本に来ないの？』と聞くと、『Because Japan is expensive and busy.（だって日本は物価が高くて騒がしいでしょ？）』という答えが返ってきます。でも、『おいでよ！』と誘って実際に来てみると、『め

海外のノマドワーカーたちとバリ島（インドネシア）で集合したときの様子。
常に「世界の中の日本」を感じていたいという大瀬良亮さん。
（CU Asia 2020 official）

ちゃくちゃいいね！1週間の予定だったけど、ひと月に延長しちゃった！』とどハマりする人も結構います（笑）。特に日本の地方には、世界のデジタルノマドたちが喜ぶ要素がたくさんあります。英語が通じにくいというハードルさえ越えられたら、人は呼べます」

2021年7月現在、HafHは世界中の36の国と地域、534の都市、888の拠点に、月額2980円〜8万2000円の定額で滞在できるサービスを提供しています。ユーザーの約70％が30代以下の若い層。新型コロナウイルスの蔓延によりテレワークが定着したことでユーザー数は一気に伸び、2021年8月には会員数は2万人を突破しました。それまで3割ほどに留まっていた会社員のユーザーが増え、現在ではフリーランサー（20％）を超えて51％、役員クラスや経営者まで含めると64％を占めています。

家賃、出張……「過去のフォーマット」を脱ぎ捨てる

「在宅が続いている中で『気分転換』のためにホテルで集中して仕事を

したい人、『偶然の出会い』を求めてふらっとバーにでも行く感覚で月に数回いろんな拠点に顔を出す人、アドレスホッパーとして日本全国を旅をしながら働く人……。利用の仕方は本当にさまざまです」

と話すのは、KabuK Style広報の澤木公輔さん。実は澤木さん自身も「場所にとらわれずに働く」を実践する一人です。以前はPR会社で正社員として働いていましたが、海外留学と世界周遊を経て帰国するタイミングで、世界のどこでも働けるようにとフリーランスの広報PRに転身しました。KabuK Styleの他にも複数のクライアントを持ちながら、月に5泊程度は各地を旅しながらパソコン一台で仕事をしています。

「今の時点で、HafHのユーザーは個人です。会社員もほとんどの方が

PR会社の社員からフリーランスとなり、「場所にとらわれずに働く」を実践しているKabK Style広報担当の澤木さん。

個人の判断で入会し利用しています。そんな中で最近増えているのが、法人からの『出張に使えないか？』という問い合わせです。もともと地方出張の多い企業が、出張費を定額化してコストを抑えたいという理由でHafHのサービスに興味を持ち始めているようです。出張費を定額化できる上、社員が、外国人を含めた社外の人からたくさんの刺激をもらうチャンスにもなる。その点が魅力に映っているようですが、既存の社内制度の調整が必要なようで、法人としてのサービス導入はこれからといったところです」（大瀬良さん）

「旅をしながら働く」HafHの世界観が、これから世界だけでなく、日本でも普及していくのか。そして日本企業も、そうしたワークスタイルを制度として許容していくのか。今はまさにその分岐点にありますが、個人レベルでは明らかにコロナ前とは異なる新しい流れが生まれているようです。

「僕たちが提供するサービスでは、ホテル、旅館、ゲストハウスなど多様な拠点を用意していますし、なかには賃貸型料金プランの直営店（福岡・長崎）もあります。賃貸型の場合は、光熱費、備品、インターネット費用、敷金・礼金、保証金、家具購入費などの経費がオールインワン。利用泊数によって月額2980円から8万2000円まで多様なプランがあり、忙しくて利用しなければ利用枠は宿泊予約に使用するコインとして還元できます。月単位で利用プランの変更も可能です。『利用しなくてもお客さんに損はさせない』というのが基本姿勢なんです。

自宅にいたいときはいる。旅に出かけたくなったら旅に出る。ホテル

に泊まりたい気分ならホテルに。ゲストハウスでワイワイ語らいたい気分ならゲストハウスに。国内だって海外だって、都市も地方もリゾートも、選べる。とにかく自分自身が今どんなふうに過ごしたいか？に合わせて、柔軟に『居場所』を選んでほしい。そういう想いがサービスの根底にあります」（大瀬良さん）

「新しい風を送りたい」そして「走りたい人が思いきり走れる社会にしたい」。長崎で生まれ、東京を経て世界に飛び出し、今は国内外を毎日のように移動し続けている大瀬良さんが世に問うたHafHという理想が、今後日本をどう変えていくのか楽しみです。

世界のワークスタイル新潮流は行き過ぎた資本主義へのオルタナティブ

世界のデジタルノマドは日本に魅力を感じるか

　この本では、主に日本国内のワーケーションについて紹介していますが、Interview 05で軽く触れたようにワーケーション的な働き方や生き方は、海外ではすでにかなり前から定着しています。それが「デジタルノマド」と呼ばれる人たちです。次は、若者のワークスタイルの新潮流を研究しながら、自身も世界中でワーケーションを実践している関西大学教授の松下慶太さんに話を聞いていきます。

　松下さん自身がワーケーションを生活の中に取り入れ始めたのは、2014年頃。当時勤務していた大学が渋谷にキャンパスを移したのをきっかけに、東京・渋谷近辺で生

世界のデジタルノマドを研究するうちに、自身も海外でワーケーションを実践するようになった松下慶太さん。

まれつつあった20代、30代の人の新しいワークスタイルに注目し始めたことからでした。

パソコン一台を持ち歩いて好きな場所で仕事をするフリーランサーやスタートアップ経営者など、「ノマド」と呼ばれた人たちがコワーキングスペースに集い、コミュニティが生まれ、新しいビジネスに繋がっていく様子を目にして興味を持ち、研究対象にしようと決めたそうです。

「ちょうどその頃、僕自身がレーシックの手術を受けたんです。視力がよくなると、急に海のあるところに出かけるのが楽しくなって。海に潜るにもコンタクトレンズを入れなくていいし、海に行くハードルが一気に下がりました。バリ、フィジー、タヒチ付近のラロトンガなどなど海辺のリゾートで、妻と二人で今でいう“ワーケーション”を1シーズンに1回ほどのペースでするようになりました。もちろん当時はワーケーションの“ワ”の字もありませんでしたが」

ビーチサイドやプールサイドでふとまわりに目をやると、水着姿でラップトップパソコンをパチパチやっている人がいる。あの人たちはどんなワークスタイル、ライフスタイルを送っているのだろう……。興味が湧き、松下さんの目は徐々に渋谷から海外へと向くようになります。

松下さんはやがて、フィールドワークのため日本を飛び出しアメリカ、ヨーロッパ、アジアまで足を延ばすようになりました。それが2015年頃。海外ではすでに「デジタルノマド」と呼ばれる人たちが、リゾート地などを転々としながら仕事をしていました。今では海外でも会社員が休暇を取って旅先で仕事をするスタイルが徐々に増えてきていますが、当時はプログラマーやデザイナーなどフリーランスのクリエイター職がその中心を占めていました。

2021年現在、世界中で働く人の中でリモートワーク可能な人の割合は56%、2035年にはデジタルノマド人口は10億人に達すると予測されています。この流れは新型コロナウイルスの蔓延によりテレワークが浸透したことで加速しています。日本国内とまったく同じ傾向です。つまり、日本国内で「ワーケーション」と呼ばれているワークスタイルは、海外で「デジタルノマド」と呼ばれる概念とほぼ重なるわけです。

「デジタルノマドは、『行き過ぎた資本主義へのオルタナティブ(代わりとなる手段)』であるという見方もあります。デジタルノマドの人たちの年収帯は多様です。ゲストハウスに住み込みで働くようなバックパッカーもいれば、スタートアップ経営者やベンチャー投資家のような人もいます。またGAFAのようなトップ企業で安定したお給料をもらいながら好きな場所で働いている人もいます。ですが、全体的に"超高級リゾートホテルでラグジュアリーに"という感じではなく、あくまで実用重視です」

WORKという「日常の文脈」と、VACATIONという「非日常の文脈」が重なり合うときに、自分の中からものすごいエネルギーが湧いてくると松下さんは語る。

デジタルノマドが「場所選び」で重視する4つのこと

松下さんによると、デジタルノマドが滞在する街を選ぶときに重視するポイントは次の4つ。

- ビザが取りやすいこと
- Wi-Fiなどデジタル環境が整っていること
- 物価が安いこと
- 歴史や文化が感じられること

この本では「できるだけ長期で滞在してください」とおすすめしていますが、日本ではまだまだ2泊3日などの短期が主流。それに対して海外のデジタルノマドは、最低でも1週間、ひと月は当たり前、長ければ3カ月から半年同じ場所に滞在します。そのときに重要になってくるのがビザです。

エストニアがリモートワーカー向けに1年間滞在できるビザを発行することは日本でもニュースになりましたが、その他にも、カリブ海近辺の島国（アンティグア・バーブーダ、バルバドス、アルバ、バミューダなど）、ポルトガル、ジョージアが続々とデジタルノマド向けに新しいビザプログラムを打ち出しています。またドイツ、スペイン、チェコ、メキシコはビザの取りやすさからデジタルノマドには定評があります。

例えば、スタートアップ企業が、アメリカ・サンフランシスコでオフィスの家賃を払い続けるくらいなら、バリ島で社員全員の滞在費を出した方が経済的だといった判断をすることもよくあるそうです。

デジタルノマドの人にとって、**「次の仕事のヒントとなるインスピレーションが得られること」は非常に重要なポイント**です。なので、ただ便利なだけではなく、そこに古くからの文化が根付いていたり、歴史的な建造物がある、芸術の街として知られているなど、「カルチャーの匂い」がすることも重視されます。実際に世界中のデジタルノマドのための情報サイト「NomadList（ノマドリスト）」の人気都市ランキングを見てみると、上位には物価が安いだけでなく、歴史的な都市や、古くからの交通の要所、文化・芸術の中心地がランクインしています。

ノマドリストランキング（2021年6月27日時点）

1位：リスボン（ポルトガル）
2位：バリ・チャングー（インドネシア）
3位：メキシコシティ（メキシコ）
4位：ベルリン（ドイツ）
5位：ポルト（ポルトガル）
6位：台北（台湾）
7位：ベオグラード（セルビア）
8位：ワルシャワ（ポーランド）
9位：トビリシ（ジョージア）

10位：プラハ（チェコ）

日本スタイルのワーケーションは海外からも支持される

ちなみに東京は176位（2021年9月6日時点）。「娯楽」や「治安」の項目は最高レベルですが、「生活費（物価）」「市内の無料Wi-Fi」「英語の通用度」「他の人種への寛容さ」などの評価が低めです。とはいえ、松下さんによると、地方に目を転じれば日本的なワーケーションは意外にも海外のデジタルノマドを惹きつける要素があるといいます。

「日本のワーケーションの特徴は『地域との関わり』が重視されている点です。地方に出かけていって地元の人と一緒に農作業をしたり、地域課題に取り組んだりといった要素は、海外にはまずありません。その点がデジタルノマドの人にとっては新鮮に、また魅力的に映ると思います。
通常、海外のデジタルノマドの人たちは、『地域との関わり』よりも『デジタルノマド同士の関わり』を重視します。これは、彼らが滞在する場所で現地の人があまり英語を話さないため、そもそも交流の機会がないことも理由の一つです。例えば、人気滞在先のチェンマイ（タイ）でデジタルノマドの人が地域の農家と一緒に何かをやろうという発想はあまり生まれないでしょう」

現在、世界各地でアフター・コロナに向けてデジタルノマドの誘致が盛んになりつつあります。「ヨーロッパのハワイ」と呼ばれるポルトガルのマデイラ諸島では、人口わずか約8300人の街に100人のデジタルノマドを受け入れるパイロットプログラムを打ち出していますし、デジタルノマドの聖地、バリ島を擁するインドネシアはデジタルノマドも対象としたロングステイビザの支給を検討中です。その他、最低でも1週間は滞在するデジタルノマド向けに、**各地のホテルがウィークリーやマンスリーのプランを続々新設する動きも増えています。**

「本当にいろんな場所で“ワーケーション”をしてきましたが、特にアイスランドの温泉施設ブルーラグーンでの時間が思い出深いですね。一人で出かけていったのですが、ログハウスを1週間借りてそこにこもってひたすら原稿を書いていました。ものすごく集中できました。

ワーケーションって、“違う文脈と重なること”だと思います。『研究対象についての原稿を書く』というルーティン的な文脈と、目の前に広がる『荒涼とした岩場と青い温泉』という非日常の文脈。まったく異なる2つの文脈が重なることで、自分の中から不思議なほどエネルギーが湧いてきます」

自分の内側からエネルギーが湧いてくる場所に身を置くこと。それがワーケーションの醍醐味であるとすれば、世界のデジタルノマドにとっても日本の地方はエネルギー源になりうるのでしょうか。「**アフター・コロナを見据えた世界の大きな流れを見ても、日本のワーケーションはなかなか面白い位置を占めているなと思います**」というのが松下さんの見立てです。

山口周さんコラム❺

「小さな東京」ではない地域の魅力を探して

住む場所・働く場所の選択肢がとても多くなったこれからの時代、自分が一番心豊かに生きていける場所を選べる人と選べない人とではクオリティ・オブ・ライフに大きな差が生まれてしまうでしょう。その意味で、どこで生きるかを選ぶリテラシーや方法論、そしてそれを実際に試す勇気がものすごく問われる時代が来ているのだろうと思います。

日本では、高度経済成長期以来50年以上にわたり、東京一極集中が続いてきました。ヒトもカネも東京に集まって、それ以外の地方は「小さな東京」を目指して頑張ってきました。

それに対して、例えばアメリカは各地域に特色があります。まず西海岸か東海岸かで土地のキャラクターがまったく異なりますし、東海岸の中でもボストン、フィラデルフィア、ニューヨークなど、それぞれの街に独自のキャラクターがあります。文化も風土も違うし、税率も違う。当然、そこに

LIFE INITIATIVE
Column:05
Shu Yamaguchi

惹きつけられる人の種類も違います。どの土地のキャラクターが自分にしっくりくるかを個々人が選んで住むので、「足による選挙」とも呼ばれています。

ところが、日本では地域間のそうした健全な競争が歪められてきました。

地方都市では「仕事があるかどうか」などの要素が重視され、住む場所としての快適さや、文化や風土の豊かさといった要素が捨象されてきました。その結果、格差を埋めようと一層「小さな東京」を目指して無残な結果に終わるケースが後を絶ちませんでした。

新型コロナウイルスの流行によりリモートワークが浸透したことが、半世紀以上続いてきた東京一極集中を打開するきっかけになるかもしれないと、各地域が移住の誘致に力を入れ始めています。

でも、東京で働く必要がなくなり「さて、どこに住もうか？」と考えている人に対して、「うちは小さな東京です！」というアピールは一番魅力がないでしょう。自分にとってしっくりくる場所はどこだろうと探し始めた人たちに対して、各地域も独自の文化や風土を活かして多様な魅力をオファーしてほしいと思います。それによって日本全体に彩りが出るいいチャンスが到来しているのではないでしょうか。

実際、僕は仕事で地方に出かけていくのがすごく好きで、その土地にしかない「彩り」に出会うと嬉しくなります。

五島の他にも、西から順に長崎、別府、熊本、広島、城崎（きのさき）、金沢、蓼科、八ヶ岳、仙台、中標津（なかしべつ）……と好きな土地を挙げるとキリがありません。この中には「一度住んでみたい」と思っている場所もいくつかあります。

このあいだ訪れた熊本では、市内の水道水源のすべてが井戸水でまかなわれていると聞いてとても驚きました。確かに水が美味しくて、街路樹が異様な大きさに育っていました。そんなふうに実際に足を運んでみると、先々で思わぬ発見があります。

「場所」にはシンクロニシティがあります。いつでもその場所が自分にとってしっくりくるかと言えば、そうとも限らず、自分の年齢やバイオリズムによってカッチリとはまるタイミングがあるものです。毎年出かけていくことにしていたお気に入りの場所が、ある年から突然しっくりこなくなる経験を僕自身もしたことがあります。

たとえば、僕はここ数年長野のとある高原が気に入り、毎年家族に無理を言ってはひとり旅に出ていました。読みたい本をたくさんカバンに詰めて2〜3泊の旅程で出かけ、緑に覆われた高原を秋風に吹かれながら散歩をし、地場の食材を使った料理を楽しみ、好きなだけ読書をするという気ままな旅が定番となっていました。

ところが、ある年、突然「高原のひとり旅」が、寂しくて寂しくてたまらないものに感じられるようになったのです。本を読んでいても、食事をしていても、とにかく寂しい。どうしてこんな所に来てしまったのだろう。家族と早く会いたい。滞在中そんな気持ちが膨らむばかりで、以前とはまったく異なる旅の体験となりました。

原因はわかりませんが、僕の中で人生のフェーズのようなものが明らかに切り替わったのだろう、もう今年でこの高原の旅は最後だな、と直感しました。

人生の時間軸が流れていけば、それに合わせてセトルする（落ち着く）と感じられる場所も変わっていくのだと思います。でも、自分自身のそうした変化には、実際に移動してみないと気づけません。たくさん動いて初めて、前とはしっくりくる場所が違ってきたなあ、とわかるのです。

第6章

地域も一緒に成長しよう

—ワーケーション受け入れ側の皆さんへ—

地域のwillも見つかるワーケーション

「行く側」と「受け入れる側」のwin-winを目指す

ここまで一冊を通じてワーケーションに「行く側」の話をずっとしてきましたが、最終章では視点を変えてワーケーションを「受け入れる側」の話をしておきたいと思います。

「受け入れる側」がどういうポイントを押さえると、「行く側」にとっていいワーケーションになるのか、さらに言えば、ワーケーションを通じて自分たちの地域にプラスの波及効果を生み出すことができるのか。それらの点について、ここ数年地域の行政や市民の皆さんと一緒にワーケーションを設計してきた私たちの立場からお伝えできることを、できるだけ実践的に書いていきます。

この章は、「受け入れる側」の地域、特にその自治体の皆さんに向けた章ですが、「行く側」の方も余力があれば、読み進めていただければ嬉しいです。なぜなら「受け入れる側」のことを理解しておくと、「行く側」の人はより充実したワーケーション体験ができるようになるからです。旅先での自分の過ごし方が、その地域にどんな影響を与えるのか、「受け入れる側」の地域と自分がどのように関われば、人生を豊かにしてくれるようなwin-winの関係を結べるのかといった点にまで、意識がいくようになり、視野が広がると思います。

この本を書いている2021年時点夏で、日本国内のワーケーションは地方自治体主導で行われているものがたくさんあります。「コロナにより打撃を受けた観光業を盛り上げるため」「テレワークが浸透した環境で新たな移住者を呼び込むため」といった理由で準備されていますが、急ピッチで進められる施策の中で「本質」を見失っている例をたびたび目にしてきました。

一度「本質」に立ち返り、ワーケーションを通じて自分たちの地域に何を引き起こしたいのかを改めて考えていただくきっかけとなれば幸いです。その上でコワーキングスペースや通信環境などのインフラ整備、オプションサービスやツアーなどのコンテンツ開発を進めた方が、その地域のことを本当に好きになり関わり続けてくれる可能性の高い人たちを、「行く側」としてたくさん集められるようになります。

ワーケーションが地域に起こしうる5つの効果

私たちが企画・運営している五島列島のワーケーションでは、「行く側」だけでなく、「受け入れる側」の行政、市民の皆さん、地域の事業者さんもメリットを感じられることをとても重視しています。

そのメリットとは、たくさんの人が来てお金を落としてくれる（経済効果）だけでなく、準備段階でも地域に発注が増える（これも経済効果）、地域に愛着をもってその後もときどき遊びに来てくれる人を増やす（関係人口の創出）、ふるさと納税をしてくれる個人や企業を増やす（経済効果と関係人口の創出の両方）、地域で事業を起こす人を増やす（雇用の創出）、移住を検討中の人にその地域の存在を知ってもらう（認知の獲得）、さらに滞在中などに移住相談会に顔を出してもらう（移住・定住の促進）などなど、多岐にわたります。

繰り返し書いてきたように、「行く側」にとってワーケーションは自分の人生の主導権を取り戻す手段ですが、**「受け入れる側」にとっても**

その地域を将来どんなふうにしていきたいか？何があれば住んでいる人が幸せか？を改めて描き直すまたとないチャンスになります。つまり、「受け入れる側」から見ても、自分たちの地域の主導権を握り直すことに繋がるのです。ワーケーションを通じて訪れる人も、地域も、一緒に成長していければ最高ですし、私たちはそうでないとやる意味がないとさえ考えています。

「行く側」にとって何がいいワーケーションかはもうおわかりだと思いますが、「受け入れる側」にとってはどんなワーケーションが「いいワーケーション」なのでしょうか。
「受け入れる側」の地域にワーケーションが起こしうる「効果」を挙げると、だいたい次の5つにまとめられます。表の一番右側の表現は、よく行政の皆さんとお話しするときに出てくる言葉なので併記しました。

効果①	地域にお金が落ちる	経済効果を生み出す
効果②	地域を愛してくれる人が増える	関係人口を創出する
効果③	地域で暮らす人が増える	移住・定住に繋げる
効果④	地域の課題に取り組む人が増える	事業創造としての企業誘致
効果⑤	地域に働ける場所ができる	雇用創出としての企業誘致

難度の差はありますが、①〜⑤はどれも、十分に実現可能です。ただ、注意すべきポイントは、「全部の効果を取りにいこうとすると、うまくいかない」という点です。「受け入れる側」の地域が、自分たちは①〜⑤の「効果」のうちどれが一番欲しいかをあらかじめちゃんと決めておくことがとても大事です。

①〜⑤はどれも、日本の地方が喉から手が出るほど欲しいものばかりです。

高度経済成長期を経て1970年代以降ずっと言われ続けていることですが、今もなお、日本は東京一極集中です。人もお金も首都圏にばかり集まってしまっています。若い人は進学や就職のために地域から都市部にどんどん流れ、そのまま都市部で出会った人と結婚し、出産・育児も都市部で行い暮らし続けます。実家に人が住んでいるうちはときどき帰省しますが、親御さんが亡くなったらほとんど行かなくなり、実家は空家になるか、取り壊すか。

これが何十年も積み重なった結果、日本の地方は、そもそも人がいない（過疎化）、お年寄りばかりで若い人や子どもがいない（少子高齢化）、働き手がいないため企業も立ち行かず（人手不足）、働いて税金を納めてくれる人や企業が少ないので税収が不足し、インフラの維持がだんだん大変になる……などの課題が山積みになっています。

例えば五島列島は、九州の一番西の端にある国境離島なので、この流れが他の地域よりも猛スピードで進行していて、状況はかなり深刻です。特に人口減少は危機的状況で、五島市の場合、1955年のピーク時は9万人ちょっといた人口が、どんどん流出して2015年にはなんと60％減の約3万7000人に。このままでは2060年に1万人まで減ってしまうので、それをなんとか頑張って2万人にキープしようと奮闘している状況です。

2019年に五島市の移住・定住施策が実を結んで65年ぶりの社会増（流入人口が流出人口を上回ること）を達成したと話題になりましたが、それでもこの深刻な人口減少は止まらないのです。

みつめる旅のメンバーの一人が原稿を書くために五島列島内のとある役場に最新の人口を電話で尋ねたところ、「今日の人口は、1万8169人です」と、まるで天気予報のように告げられました。一人また一人……

時々刻々と人口が減少している様をものすごくリアルに感じた瞬間でした。

五島は極端な例かもしれませんが、どこの地域も似たり寄ったりの状況にあり、同じような課題を抱えています。ですから、ワーケーションで地域に人や企業を呼び込んで先に挙げた①〜⑤の「効果」を引き起こしたいと、「受け入れる側」は切実に思っているわけです。

何が一番その地域を豊かにするのかを考える

お金の払い方一つにも意味がある

「①〜⑤の全部の効果が欲しい！」それが「受け入れる側」の本音です。でも、一度に全部を取ろうとする、結局どれも手に入らないという悲しい結果となります。だったら、何を優先して取りにいくか。それによって、「受け入れる側」にとってベストのワーケーションの形は決まります。

もう一度①〜⑤の「効果」を見てみましょう。

効果①	地域にお金が落ちる	経済効果を生み出す
効果②	地域を愛してくれる人が増える	関係人口を創出する
効果③	地域で暮らす人が増える	移住・定住に繋げる
効果④	地域の課題に取り組む人が増える	事業創造としての企業誘致
効果⑤	地域に働ける場所ができる	雇用創出としての企業誘致

①については、どんな形のワーケーションであれ、実現できます。できるだけたくさんの人がその土地を訪れ、長く滞在するほどに、交通費、宿泊代、食事代、おみやげ代などでお金は落ちます。友達や家族を連れてきてくれれば、その分落ちるお金は増えますし、オプショナルのツアー、お子様見守りサービスやアウトドアスクールなどのサービスがあると、さらに消費額は上がります。またハイシーズンではなく、あえてオフシーズンに人を呼ぶことができれば、新しいニーズを開拓できたことになります。

こうした「経済効果」の話をするときは、どうしても「行く側」が滞在中に落とすお金をイメージしがちですが、ワーケーションの準備段階で落ちるお金もバカになりません。例えば、サイトを準備したり、ポスターやパンフレットを製作したり、運営スタッフを雇ったりします。もっと大きな部分では、コワーキングスペースを新たに作ったり、廃校やその他の遊休施設を仕事ができる場所に改修したりといった事業では、かなりの金額が動きます。

地域経済にお金を落とす必要性

ワーケーションにおける経済効果の話をする際に、もう一点大切なのが、お金がちゃんと「地域の中に落ちること」です。「行く側」が滞在中に落としてくれるお金も、準備段階で発生するお金も、できるだけ地域にすべて落ちた方がいいというのが、私たちの基本的な考え方です。

サイトやパンフレットのデザインは、地域で活動しているデザイナーさんに、ポスターやリーフレットは近所の印刷所に、運営スタッフは新しいことを学びたい地元の若手に、それぞれ発注します。各種オプションサービスも地域の事業者さんと一緒に開発しますし、旅行の手配は地域密着型の旅行代理店を通します。タクシーやバスといった地域の交通事業者の皆さんと連携して、ワーケーション限定チケットを発行するのもいいでしょう。

そんなふうに、できるだけたくさんのお金が地域の中に落ちるように設計すると、地元の皆さんから喜ばれる、本当に有意義な「経済効果」を生み出すことができます。逆に言えば、いくらワーケーションでたくさんの消費額を生み出したとしても、それが全部域外の企業などに流れていては意味がありません。

私たちは、ここ数年あえてオフシーズンの真冬にワーケーションの誘致をしてきました。真冬の1〜2月五島は、帰省シーズンが終わり、観光の目玉である椿もまだ咲かず、一年で一番人が来ない時期です。そのタイミングで、平均予定泊数6.3日で約150人を誘客すれば、かなりの経済効果が期待されます。五島市の一般的な観光客の平均泊数が1.5泊ですから、相当の長期滞在です。

新型コロナウイルスの蔓延であえなく中止になった回には、地元のタクシー運転手さんや、飲食店の方から、「ワーケーションで冬場の売上が助かってたのに残念……」という声をいただきました。私たちとしても大変残念ではありましたが、ワーケーションという聞きなれない言葉が、しっかりと地域に認知されていたこと、そしてワーケーションの生み出したお金で市民の皆さんが喜んでくださっていたことを実感して、「本当にここまでやってきてよかった」と思ったものです。

「行く側」の人も、自分がワーケーションに出かけてから帰ってくるまでの間に払うさまざまなお金が、その地域でどんなふうに循環していくか、ちょっと想いを巡らせてみてください。その視点を持つだけで、物事の見え方がまた少し変化するはずです。「お金」は物やサービスを得るための単なる対価ではなく、本質的に、「払う側」にも「受け取る側」にも喜びを生むものです。ワーケーション中、自分が一番気持ちよくお金を使える場面はどこか、その地域で一番喜ばれるお金の使い方は何かを意識するだけで、「お金」との関わり方も変化し、今後のライフスタイルやワークスタイルを描いていく上でプラスに働くと思います。

地域が求めているのは、「人」か「企業」か

さて、①はあらゆるタイプのワーケーションで、「受け入れる側」に起こしうる「効果」であることは納得していただけたと思いますが、問題は②〜⑤です。

効果①	地域にお金が落ちる	経済効果を生み出す
効果②	地域を愛してくれる人が増える	関係人口を創出する
効果③	地域で暮らす人が増える	移住・定住に繋げる
効果④	地域の課題に取り組む人が増える	事業創造としての企業誘致
効果⑤	地域に働ける場所ができる	雇用創出としての企業誘致

「今年度からワーケーションに取り組みたい」という自治体の皆さんに、「なぜ、ワーケーションをやりたいんですか？」と聞くと、よく「関係人口を増やして移住につなげたいし、企業も呼んで地域にサテライトオフィスを構えてほしいから」といった答えが返ってきます。でも、当たり前ですが「移住してくれる人を増やすこと」と「地域に企業を呼び込むこと」は、全然違います。後ほど詳しく書くように、目標の立て方も、それを達成するためのプロセスもまったく異なります。当然、実装するワーケーションの形（ターゲット、コンセプト、コンテンツなど）もそれぞれに合わせて組み立てる必要があります。

まず大きく分けて、ワーケーションを通じて最終的に「個人（toC）」を呼び込みたいのか、「企業（toB）」を呼び込みたいのかを決める必要があります。

「個人」を呼び込むのが②と③、「企業」を呼び込むのが④と⑤です。「個人」を呼び込む方がハードルが低く効果も出しやすいというのが、これまでの私たちの実感ですが、それは自治体の特性にもよるので、ここでは「個人」か「企業」かの2つに分けてお話ししていきます。

「こんな人に来てほしい」をイメージしよう

まず「個人を呼び込もうとする場合（②と③）」から始めましょう。「関係人口」という言葉は、行政関係者の間では実は今かなりホットないわゆる「バズワード」なのですが、おそらくそれ以外の皆さんにはまったくと言っていいほど知られていない「専門用語」「業界用語」だと思います。

簡単に説明すると、普段住んでいる場所や会社がある場所以外の地域と、移住でも観光でも帰省でもない形で関わり続ける人のことです。具体的には、実際にその地域を訪問して、ボランティアやまちおこしスタッフをしたり、副業を持ったり、スポーツイベントなどに参加したりするスタイルが一つ。もう一つは、訪問はせずに、その地域にふるさと納税をしたり、地元の人が立ち上げたクラウドファンディングに投資したり、定期的に物産品を購入したりするスタイルがあります。

中身がこれだけ多様なのに、それをまるっと「ワーケーションで関係人口を創出します」と言ってしまっては焦点のぼやけたワーケーションになる恐れがあります。

- 地域の人手不足を補ってくれるボランティアを呼びたいのか
- 毎年遊びに来てくれるリピーターを増やしたいのか
- 大ファンになってもらって、若い人の移住予備軍を増やしたいのか
- 地域の中小企業で副業してくれる人を増やしたいのか
- スポーツイベントの参加者を増やしたいのか
- ふるさと納税してくれる人を増やしたいのか
- 地域の物産品を定期購入してくれる人を増やしたいのか

何でも詰め込める大きな便利バッグみたいになってしまっている「関係人口」という言葉を、できるだけ細かく分解してみてください。自分たちの地域には「これが欲しいんだ」というものが具体的に見えるまで、とことん細かく分解していってください。それこそが、ワーケーション通じて手に入れたい「関係人口」になる可能性が高いのです。

どんな「関係人口」が欲しいかが見えると、ワーケーションの内容も自然と決まってきます。「リピーター」を増やしたいのであれば、夏休みや春休みなど家族そろって来られるタイミングに親子で楽しめる体験を用意すると効果的です。さらにそこに地域の中で「友達」を作ってもらえるような仕掛けが加わると、「次の休暇も○○さんに会いに行こう」「○○さんが、次はいつ来るの？って声かけてくれたよ」というふうにリピート率がぐっと高くなります。やはりリピーターになってくれる最大の理由は「人」です。

また、訪れた人にふるさと納税をして欲しいのであれば、滞在中に農業、酪農、漁業、林業など、地域の「作り手」と交流できる機会があれば、「○○さんの作ったトマトが返礼品にあるから納税しよう」という流れを作りやすくなります。五島市の場合、過去のワーケーション参加者が入れるSNSコミュニティがあり、そこで随時、地域の事業者さんや市役所の人がPRや告知ができる仕組みになっています。

ワーケーションから「移住」する可能性

「ワーケーションをきっかけに移住・定住に繋げたい」も、「受け入れる側」の自治体からよく聞かれる声です。確かに現時点でワーケーションを実践しているのは20代〜40代の働き盛りの世代が中心ですし、その世代はどこの地域も「Uターン、Iターン者」として一番欲しがっている層です。

でも、「行く側」にしてみると、ワーケーションで訪れただけなのにいきなり移住！？と、ちょっと困惑します。それは当然のことです。当たり前ですが、一人の人がある地域に移住するまでには「認知→…現地見学→…決断→…引っ越し」と無数のステップを踏むことになります。ワーケーションで行ってみたらよかったから、いきなり「引っ越し」はまずありえません。

「受け入れる側」にとって大切なのは、この無数のステップの中のどこまでをワーケーションで実現するかを決めておくことです。五島市では、ワーケーションでは最初の「認知」ができたらOKとしています。これは、日頃から人口減少対策に取り組んでいる市の担当課と相談して出てきた結論です。それ以上やろうとすると、「行く側」の人にとって重荷になってしまいます。「ワーケーションから移住」は、一回食事をしただけなのに、いきなり「結婚してください！」と言われるようなもの。ハードルが高すぎるのです。

都市部に住んでいるテレワーク（リモートワーク）可能なビジネスパーソンの中で、「子育ては自然のあるところでしたい」「コロナで完全なテレワークが可能になったから都会に住む必要がなくなった」と考えている層に向けて、まずは日本に「五島」という場所があることを知ってもらう。そして好きになってもらう。そこまでがゴールです。それでもワーケーション申込者の3割が市主催の移住相談会に参加を希望してくれましたし、ワーケーションで呼び込んだ皆さんは普段市役所の担当課がリーチできていない層だったので、地域にもプラスに働きました。

「企業を呼び込む」には属人的な手間暇を

次の「企業を呼ぼうとする場合（④と⑤）」について見ていきましょう。

④はまさに第4章で「事業創造型ワーケーション」としてご紹介したものです。いきなり「課題の解決」から入るのではなくて、まずは地域を好きになってもらいながら「課題の理解」にたっぷり時間をかけることがとても大事という話をしました。実は、④も⑤も実現にはとても手間がかかります。同じく第4章で触れた企業誘致のトップランナー和歌山県は2001年頃から取り組み始め、たくさんの試行錯誤を繰り返したのちやっと11社の誘致に成功し、累計100人を超える雇用を創出しています。そのくらい、ものすごく時間と手間がかかるチャレンジなのです。

和歌山県の場合、「企業に営業して誘致するだけではダメだ」と気づいた2015年頃から「アフターケア」に力を入れるようになりました。たとえば、地域の中小企業のDX（デジタルトランスフォーメーション）を推進したいというIT企業がいたら、興味を持ちそうな旅館の経営者と引き合わせてみる。地方でサービスを拡大したいヘルスケア事業の企業がいたら、福祉事業をやっている人に声をかけてみる。などなど、地元で信頼されているキーマンを通して、ものすごく地道な関係づくりをコツコツ続けた結果、プロジェクト始動から10年でここまでの成果に繋がりました。

「そんなのいちいち人がやらなくても、地域の中小企業とワーケーションで訪れる企業のデータベースがあれば、マッチングは簡単でしょ？」という声もありますが、それではなかなかうまくいきません。どうしても効率的に「仕組み」で解決したくなってしまいますが、「報告書に書ける数字」を上げるだけでなく本当に長期の地域メリットを生み出そうとすると「属人的な手間暇」は避けては通れないと、和歌山県の情報政策課でワーケーションを担当している桐明祐治さんは言います。

まずは一回限りでもいいので、「研修や合宿の要素を持たせたワーケーションで地域に来てもらう→年に2〜3回定期的に来てもらえる関係を築く→事業のネタを探し、地域で人脈を築いてもらう」という流れがいいと思います。こうした段階を経て、地域の課題を解決するような事業が立ち上がったり、雇用が生まれたりしていきます。

2019年に実施された共同通信社による全国自治体調査では、ワーケーションに限らず企業誘致に成果が見られないとした自治体は、実に76%に上ります。地域のために本当に意味のある企業誘致をするのは相当難度が高いという前提で、丁寧に長期のプロセスを設計し、手間暇をかける必要があります。

地域への「効果」は何で測るのか

ワーケーションが、「受け入れる側」の地域に起こしうる①〜⑤の効果についてあらましは理解していただけたと思います。

これらの効果を実現するにあたり、私たちが自治体のみなさんからよく受ける質問が、「どこの課が担当すればいいですか？」というものです。

ワーケーションを担当しうる部署には、次の4つがあります。自治体によって各部署の担当領域はさまざまですが、だいたいこの4つに大別されます。

自治体の担当部署	どんな仕事をしているか
移住担当課	移住者を増やすなど人口減少対策に取り組んでいる
商工担当課	地域の中小企業のサポートや、企業の誘致に取り組んでいる
観光担当課	観光客を増やしたり、地域の物産品の販路拡大やPRをする
総務・企画担当課	市町村長の肝入り施策や、部署横断的な施策を進める

五島市の場合は、「移住担当課」がワーケーションを担当しています。このチームは、その名の通り市にとって最大の課題である人口減少問題に取り組んでいる部署で、「Uターン、Iターン者（個人の移住）を増やすこと」が最重要ミッションです。そのため五島市のワーケーションは、一貫して「企業」よりも「個人」を呼び込むことにフォーカスしています。

そして、常に①の経済効果を最大化するだけでなく、五島を知らない人に「五島」という場所を認知してもらい、好きになってもらう（②の効果）、大好きになってくれた人には市主催の移住相談会に来てもらう（③の効果）という流れが起きるように設計しています。したがって事業の中で追いかけるべきKPI（重要業績評価指標）は、このあたりに設定することになります。

	欲しい地域メリット	追いかけるべきKPI
効果①	地域にお金が落ちる	一次消費額（交通費、宿泊費、各種オプション）

効果①	地域にお金が落ちる	一次消費額から算出される経済波及効果
効果②	地域を愛してくれる人が増える	滞在後のアンケートにおける「満足度」「再訪を希望する人の数」
効果③	地域で暮らす人が増える	移住相談会の参加を希望する人の数

自治体の中のどこの課が担当するかは、その地域として①～⑤のどの効果を一番手に入れたいかによって決まります。

国内でワーケーション先進地域として知られている鳥取県の場合は、効果②の中でも「副業として地域と関わってくれる人」を増やすことに注力しています。したがってその担当課がワーケーションを手がけ、KPIとしてはマッチングに応じてくれた地元中小企業の求人数、それに応えてくれた応募者数、実際の内定数、そして受け入れ企業の満足度あたりを想定しています。

また和歌山県は、⑤の企業誘致にフォーカスしているので、県の商工部門にある「地域立地課」と白浜町の「総務課」が連携してワーケーションに取り組んでいます。県が対外的な営業や情報発信をして、町が興味を持ってくれた企業や、移住してくる社員を地域で細やかにケアするというふうに役割分担しているそうです。

ワーケーションをメインで担当する課は欲しい「効果」にあわせて一つに絞るにしても、必要に応じて他の課とも柔軟に協力できる体制になっているとベストです。

五島市の場合、移住担当課を中心に、観光の定番コンテンツである釣りイベントを企画する際は観光担当課と、地域の中小事業者さんとの交流コンテンツでは商工担当課と、またイベント集客のためのPRでは広報課と、というふうにそのつど連携して進めています。どの担当課も通常業務で忙しいので、「この部分だけ協力してください」と細かく具体的に応援をお願いすることで、余計な時間や労力をいただかないように注意しています。

自治体では、最初からいろいろな部署を集めて「会議体」と呼ばれるプロジェクトチームを立ち上げることがよくあります。しかし、そうすると、どの部署が何をやるかが決まらないまま、情報共有だけで物事が進まないという事態がまま生じます。なので、主導する部署を明確にして、他の部署にどの点で協力を求めるか具体的にピンポイントで決めた上で、巻き込んでいくことをおすすめします。

こういう話はかなり専門的な感じがして、「行く側」の人はとっつきにくい印象を持つと思います。「自分はただワーケーションを楽しみたいだけなのに、そんな裏側の話まで別に知りたくない……」という声もあるかもしれません。

ですが、**「受け入れる側」の成し遂げたいことが明確な、的の絞れているワーケーションの方が、確実に「行く側」にとっても満足度が高い**のです。観光も、移住も、企業誘致も、という幕の内弁当的なワーケーションでは、滞在中にできる体験（いわゆるUIやUX）も散漫になりがちですし、その土地ならではのユニークな体験ができる可能性も低いでしょう。

逆に的が絞れていれば、似た目的意識を持った人たちが集まり、自然と濃度の高いコミュニケーションや交流が生まれます。またコンテンツもあらかじめ目的に合わせて設計されていますから、唯一無二の深い体験が味わえるはずです。

行政の皆さんにお願いしたいこと

本当に地域のためになる「公募要件」の作り方

ここから先は、さらに踏み込んだ話になりますが、各自治体でワーケーションを担当されている方がいらっしゃったら、お願いしたいことがあります。それは「行政の予算を投入した委託事業としてワーケーションをやるなら、公募要件を丁寧に設計してください」ということです。

専門的な話になるので、少し補足させていただくと、現在日本で行われているワーケーションには、行政が予算を確保して、その予算で民間事業者に事業を委託しているものがたくさんあります。その委託先を決める際に行政が求める条件を「公募要件」と言います。

なぜ「公募要件」が大事かというと、それが地域のワーケーションのレベルを将来にわたって決めてしまうからです。ゆくゆくは行政主導から民間主導に切り替えるつもりであっても、最初の数年の取り組みが肝心です。

公募要件を作るに当たっては、この章で何度も取り上げた次の5つの「効果」のうち、自分たちの地域で引き起こしたいものはどれかを決めることが一番大切です。①は必ず実現するとして、それにプラスしてどの「効果」が欲しいか。地域のファンになってくれそうな「個人」が欲しいのか（②③）。長期的に地域に恩恵をもたらしてくれそうな「企業」を本気で呼び込んでいきたいのか（④⑤）。地域としてのwillを明確にして、それがしっかり相手に伝わるよう公募要件に盛り込んでください。公募要件は、委託事業者へのラブレターです。

効果①	地域にお金が落ちる	経済効果を生み出す
効果②	地域を愛してくれる人が増える	関係人口を創出する
効果③	地域で暮らす人が増える	移住・定住に繫げる
効果④	地域の課題に取り組む人が増える	事業創造としての企業誘致
効果⑤	地域に働ける場所ができる	雇用創出としての企業誘致

例えば、①+②の「効果」をワーケーションを通じて生み出したいとします。

①に関しては、「委託費以上の経済効果を生み出すこと」などの条件を公募要件で明文化することが最低限必要です。とある自治体のワーケーション担当の方は、「委託費の3倍は経済効果を出して当たり前でしょう」とおっしゃっていました。私たちのこれまでの実感としても、自治体がwillを明確にして、委託事業者がそのwillに合わせてターゲットを設定し、コンテンツを作り、十分な集客活動をすれば、交通費、宿泊費、飲食などの一時消費だけで委託費の2〜3倍の経済効果は自然と実現できます。実現が難しかった場合、それは委託費が高すぎるか、自治体側のwillが公募要件にきちんと反映されていない可能性が高いと思います。もし過去の取り組みであまりに経済効果が出ていない例があれば、まずはその点を見直して、次の公募要件を改善してみてください。

また①に関して、五島市の場合は「委託費以上の経済効果を創出すること」に加えて「委託費を交通費などの補助に使わないこと」という条件をつけています。この条件は、離島の厳しい財政の中で予算を確保した以上、①を最大化したいという市のwillの表れです。

モニターツアーで「本物のファン」は作れるか

行政主催のワーケーションには、「行く側」の顎足枕（食事代、交通費、宿泊代）を全額税金で負担するから来てくださいというモニターツアーなどがよく見られます。でも、それだと国や地域の税金が地域（場合によっては地域の外の企業）に落ちるだけで、地域の外からはお金がまったく入ってきません。

それに、「顎足枕がつくから行く」という人が、果たしてその地域のことを本当に好きになってくれたり、熱意をもって地域の課題に取り組んでくれたりするでしょうか。「抽選でハワイ旅行が当たったから行く」のと、「どうしてもギリシャに行きたくて一年間頑張って貯金して行く」のとでは全然違いますよね。それと同じです。この本の前半で書いたようにワーケーションは「心底行きたい場所」に行くことが、効果を最大化するために何より大事です。交通費の補助は、金銭のインセンティブを働かせ、「行く側」の「どうしてもその地域でワーケーションをしたい！」という気持ちを曇らせてしまうマイナスの効果を生むのでおすすめしません。また純粋にマーケティングの観点から見ても、旅費補助のモニターツアーで質のいいデータやインサイトが集まるとは考えにくいでしょう。

その他の項目に関しても具体的な条件をしっかり公募要件に明記するようにしてください。「伝わるラブレター」で長期的にしっかり伴走し地域に成果をもたらしてくれる事業者と出会えるように準備することが、成功の最初にして最大のポイントです。

「何から始めていいかわからない」場合は、部外者を入れる

「ワーケーションをしにやってくる人が、一体どんな人たちなのかわからない」。これも地方自治体や地域にお住まいの人からよく寄せられる声です。旅先に何を求めているのか？どんな体験があれば満足してもらえるのか？どんな設備を整えればいいのか？ニーズが把握できず、何から始めればいいかわからず困っているというお悩みです。

一番簡単な解決策として、プロジェクトチームにワーケーションを実践している都市部の人を、副業などの形で加えることをおすすめします。それをするだけでも訪れる人の満足度やリピート率はかなり上がると思います。

こうした外部の人と連携する際には、メールではなくSlack、LINE、Facebook Messenger、Teamsなどのコミュニケーションツールを柔軟に使えた方が、スピード感も上がりますし、関わる外部の人にもストレスが少なくスムーズです。日常的に移動しながらリモートワークをしているビジネスパーソンは、メール以外のビジネスコミュニケーションツールで常時やりとりできる状態を好む傾向にあります。ちなみに五島市のワーケーション・イベントでは、準備段階から実施まで市役所の内外、島の内外の関係者が全員Slackでコミュニケーションを取りながら進めています。

willの繋がりが好循環を生み出す

「次はいつ来るの?」と聞かれるようになったら成功

ここまで、「受け入れる側」がどんなことを考えておくと「いいワーケーション」になるかについて書いてきました。鋭い方はすでにお気づきかもしれませんが、いいワーケーションには「受け入れる側」にも、「行く側」にもwill（意思）が必要です。「こんな地域にしたい」というwillと「こんなふうに生きていきたい」というwillが、ワーケーションという舞台で出会うこと。それが理想の形だと私たちは考えています。そして、ワーケーションは「受け入れる側」にとっても、「行く側」にとっても、willを叶えるための一手段に過ぎません。ですから、何より大切なのは、お互いのwillが幸せな形で出会い、滞在を通してしっかりと叶えられることです。

耕作放棄地が増えている、後継者がいない、人手が足らない……といった農家の皆さんのお悩みは全国共通ですが、この課題にワーケー

和歌山でのワーケーション中に地域の農家でみかんの収穫をしている様子。
継続するうちに地域の農家さんと
ビジネスパーソンの間で思わぬ化学反応が。

ションが一役買っている例もあります。この本ではすでにおなじみの和歌山県です。「忙しい時期だけ人手があったらいいな」という地域の農家さんと、「CSR（企業の社会的責任）活動」としてワーケーションに社員を送り込んでいる企業をうまくマッチングして、3か月おきに農業ボランティアに挑戦する社員を受け入れてもらっています（コロナ禍により現在は中断）。

最初は「農業とかやったことない人が来るんでしょ？タダでさえ収穫時期で忙しいのに、教える暇なんてないよ……」と渋っていた農家の人でしたが、普段丸の内のオフィスや北海道の支店でバリバリ仕事をしている若手社員と一緒に、みかんを収穫したり梅を天日干ししたりしているうちに手応えを感じ、今では「次はいつ来るの？」と声をかけてくれるようになったそうです。

その後も、東京の青山でファーマーズマーケットに出店すると聞けば、ボランティアに参加した若手社員が手伝いに来てくれるなど、「楽しい関係ができて嬉しい」と農家さんからとても喜ばれています。渋る農家の人を辛抱強く丁寧に説得した行政の人には本当に頭が下がりますが、これはとても幸せなwillの出会い方だと思います。「行く側」と「受け入れる側」のwillが幸せに出会える素地――これがあることがとても大切です。

「ワーケーション」という流行語に振り回されない

このように地域の人や企業も自分から喜んで巻き込まれている状態をいかに生み出すかが、「受け入れる側」のポイントです。「自分たちとは関係ないけれど、商売だからやっている」「ワーケーションに訪れた人がお金を落としてくれるのは、とりあえずありがたい」ではなく、各々の理由で自分たちの地域でワーケーションが行われることを楽しみにしてくれている。「普段あまり会わないような面白い人たちが来る」「子連れで来てくれるから賑やかで嬉しい」「雑談していると、自分では思いつかないようなアイデアがもらえる」というふうに、地域の人もまたワーケーションで訪れる人との関わりをポジティブに捉えてくれている。そういう雰囲気があるかないかは、「行く側」の満足度にも直結します。

たとえ、最初は「仕事として」関わり始めたに過ぎないワーケーションであっても、やってくる人たちと接し続けるうちに、「思ったより楽しい」「もっと関わりたい」さらには「ワーケーションで来る人たちのために、新しいチャレンジをしてみたい」とだんだん前のめりになってくださる地域の人も増えてきます。ワーケーションは、訪れる人にとって人生の幅を広げる刺激になるばかりでなく、実は「受け入れる側」の地域の人にとってもまた人生の幅を広げる機会になるのです。

やや込み入った話もしてしまいましたが、以上が「受け入れる側」の皆さんにも考えておいていただきたいワーケーションの本質です。その「場所」のことが「好きで訪れた人」と「好きで住んでいる人」が幸せな形で出会えれば、そこから生まれるエネルギーは計り知れないものになります。

ワーケーションは一時の流行語かもしれません。

でも、ある「場所」への愛着を通じて人と人が繋がることは、ワーケーションという言葉が廃れようともいつまでも続いていきます。にわかに注目されるようになった「ワーケーション」に振り回されずに、5年、10年と腰を据えて自分が愛してやまない「場所」を育てていく人が増えていくことを願いつつ、この章を閉じたいと思います。

終　章

「ライフ・イニシアティブ」を取り戻そう

一人ひとりの小さな一歩が
「企業」「地域」「日本」へ波及していく

エピローグまで読んでいただきありがとうございます。一冊を通していかがでしたか？読む前よりも読んだあとの方が、ほんのわずかでも自分の人生に勇気をもてるようになった人がいらっしゃったら、とても嬉しいです。

「いつでも、どこでも働ける」は、一度やってみると拍子抜けするほど簡単で、何年か続けていると、もう空気のように当たり前になり、「いつでも、どこでも働ける」ができない状態が逆に想像できなくなってしまいます。

私たち一般社団法人みつめる旅のメンバーも、今でこそ自由に移動しながら仕事をしていますが、数年前までは毎日オフィスに出かけていく「普通の社会人」でした。IT企業でバリバリ働きながら、ときにはオフィスに泊まり込んで徹夜も厭（いと）わないほど夢中になって事業を推し進めていたメンバーもいますし、キャリア官僚として寝る間も惜しみ霞が関の省庁でハードな仕事に邁進していたメンバーもいます。

それがやがて、「田舎の稼業を手伝いながら仕事をしたい」「体力と体調にあった働き方をしたい」「育児が大変なので通勤に時間を使いたくない」といった理由から、2016年から2019年にかけて、それぞれに、会社を辞めて独立したり、より柔軟に働ける職場に転職したりといった選択をしました。

つい数年前までは「ワークスタイルを変える≒会社を辞める」でした。会社員がテレワーク（リモートワーク）を自由にするという選択肢はまだ一般的ではなく、自分が快適な場所で仕事をしたいという願いを叶えるには、勤めている会社を辞めて独立するか、転職するかしかなかったのです。

でも、2021年の今は違います。

新型コロナウイルスの蔓延により、数十年もかかると思われていた社会の変化が一気に起き、テレワークが、会社員でも少なからぬ人にとって取りうる選択肢となりました。今後は、もっと多くの人にとって手の届くオプションとなっていくでしょう。今の仕事や**会社を辞めなくても、自分の好きな「場所」と「時間」を自由にデザインできる時代が訪れつつある**のです。このタイミングを、一人でも多くの人に活かしてもらいたいと思いながら原稿を書きました。

自分がデザインできる範囲を、少しずつ広げていく

自分が心地よい「場所」と「時間」を選ぶこと。それがどれほど人生に大きな影響を与えるのかは、実際に選んでみないとピンとこないかもしれません。

しかし一度、自分にとっての「場所」と「時間」をデザインすることの楽しさを覚えると、もっとデザインしたくなります。残された人生を、もっと自分にフィットした「場所」と「時間」の中で過ごしたいと願うようになります。そして、その**「過ごしたい」という気持ちが、自然と**

「過ごせるんだ」という自信に繋がり、具体的に行動する心理的ハードルが自分でも驚くほどのスピードで下がっていきます。

私たちみつめる旅のメンバーにとっては、まさに「五島」が人生を変える「場所」となりました。実はメンバーの出身地はそれぞれ、兵庫県、神奈川県、長野県で、五島列島とは縁もゆかりもありません。それが、たまたま家族旅行で訪れて、たまたま仕事で出向して、たまたまイベントに誘われて、「五島」という運命の場所と出会い、「ここで何かしたい！」というメンバー一人ひとりの想いが繋がって法人が生まれ、ワーケーションの企画・運営をしたり、企業研修を手がけたり、廃校を活用するプロジェクトを立ち上げたりとさまざまな動きが生まれました。

さらにそうした数々の企画を形にする過程で、島内外のたくさんの人が関わり、その人たちも「五島」という場所で新しい事業を立ち上げ始めるという波及効果も見られました。

でも、一連の流れに「計画性」はまったくありませんでした。

一人ひとりがひたすらに「これがしたい！」という自分の気持ちに素直に行動していただけです。「心底好きな場所」が自然とそうさせるのです。小さな「これがしたい！」が芋づる式に自分の中から引き出され、まわりの人の「これがしたい！」と結びつき、次第に大きな「これがしたい！」に育っていきます。こう言うと、完全なるセレンディピティ（偶然の幸運）に聞こえるかもしれませんが、実はちゃんと「再現性」があります。これが最高に素晴らしい点です。

ワーケーション・イベント開催期間中も、それ以外でも、これまでたくさんのビジネスパーソンを五島に誘致してきました。五島は、東京からだと飛行機を乗り継いで行かなくてはならないので、沖縄などの観光地よりも、お金も時間もかかります。飛行機や船の欠航も少なくないので、不便です。でもそれを乗り越え、「どうしても行きたい！」と前のめりで集まってきてくださった方々ばかりですから、滞在中の「熱量」がすごいのです。やはり人間というもの、**心底「行きたい！」と思った場所にいるときは、内側から湧いてくるエネルギーの質が普段と全然違うのだ**と思います。

押すと、「これがしたい！」のサイクルが回り始めるスイッチは、誰にでもあります。ただ、普段はそのスイッチの存在をすっかり忘れてしまっているだけです。そうは言っても、やっぱり私たちは「大人」ですから、「人に迷惑をかけてしまう」「そうする方が自分も得だし、全体が丸く収まる」と頭の中で勝手に計算して、スイッチを押そうとする手をはねのけてしまいます。実は素直に「これがしたい！」を続けている方が、人に迷惑がかからないどころか、関わる人みんなで心地のいい「場所」を築き上げることができるのですが……。五島はほんの一例です。それぞれにスイッチがONになる地域で素敵な化学反応を起こしていただければ嬉しい限りです。

この一冊の本を書くにあたり、ワーケーションを企画する側の人もたくさんインタビューしました。それぞれに自分が愛してやまない「場所」を通じて「これがしたい！」という気持ちと出会い、人生がガラリ

みつめる旅のメンバーにとって、人生を変える「場所」となった五島の風景。

と変わってしまったケースが思いのほか多くて、私たちでさえ正直驚きました。

特に記憶に残っているのが、和歌山県庁の桐明祐治さんの言葉です。桐明さんは、総務省から県職員として出向。地域での仕事に強いやりがいを覚え、2年間の任期を延長して業務に邁進しています。

「霞が関で働いていたときは『自分がやりたいこと』とは関係なく、正確に迅速に与えられたタスクをこなすことが至上命令でした。でも、出向してワーケーションを担当したことで初めて自分が『やりたい』と思えることに出会えました。

ワーケーション的な働き方が日本のスタンダードになればいいと心から思いますし、それを社会に浸透させていくことに自分も貢献していきたくて任期の延長を願い出ました。2021年は霞が関で働く官僚の皆さんを集めたワーケーションを準備しています。官僚の皆さんは本来『日本をこういう国にしたい』という熱い想いを持っているはず。でも、あまりに多忙で現場を知る時間も、社会課題について深く考える時間もありません。まずは、そこから変えていきたいのです」（桐明さん）

自分が心から求める「場所」と「時間」の中に身を置くこと。

すべてはここから始まります。

しかし、最初のハードルが一番高いのです。でも、今の時代なら「ワーケーション」という手軽な手段があります。新型コロナウイルスの蔓延によって大きな打撃を受けた地域経済を盛り上げるために国も推進しようとしていますし、企業も制度として取り入れようとしています。これを活用しない手はないと思うのです。

ワーケーションが徐々に社会に浸透しつつある今、自分が心から求める「場所」と「時間」の中に身を置くハードルは、3年前より格段に下がっています。あとは、この時代の風を受けて、最初の一歩を踏み出してみるだけです。

大丈夫、勇気を出してハードルを越えれば、その先に思いもよらない風景が広がっていますよ！私たちとしては、そう声を大にして伝えることで、ポンと背中を押してさしあげたいと思います。

ワーケーションが当たり前となったとき、日本はこう変わる

こうして私たち一人ひとりが、人生の主導権をちょっとずつでも取り戻していくことで、社会全体がどんなふうに変化していくのか。最後にその点について述べてから、筆を置くことにします。

ここまで読んでくださった皆さんであればすでにお気づきのように、「人生の主導権を取り戻す」とは、要は「楽しく生きる」ということです。たまたま置かれた環境の中でも一人ひとりが心おどる状態を自力で作り出せること、あるいは、生きるエネルギーの自給自足ができている

状態とも言い換えられるかもしれません。自分の外側から「金銭」「承認」「ペナルティ」といった動機付けを与えられなくても最高のパフォーマンスを発揮できるようになりますし、身体を壊すような悪いストレスを抱えることもないのです。

そういう人がたくさんいる社会は、いい社会だと思いませんか？

そういう人がたくさんいる会社は、いい会社だと思いませんか？

ワーケーションが本来あるべき形で世の中に受け入れられ、「当たり前」となった社会は、なかなかいい感じになるんじゃないかと私たちは信じています。日本の積年の課題と言われている、

- こんなに長時間働いているのに、労働生産性が上がらない
- 会社としてはすごく神経を使っているのに、若い人の離職率が下がらない
- いくら予算を投下しても、イノベーションがいっこうに起きない
- 補助金をばらまいても依然として東京一極集中で、地方に元気がない
- 子どもから大人まで、メンタルヘルスの問題を抱える人が増えている

なども、自分が生きて働く「場所」と「時間」を自由にデザインして楽しく生きる人が増えることが、確実に解決の糸口になります。詳しくは第3章、第4章に書いた通りです。**ワーケーションが万能薬なのではなく、「楽しく生きる人が増えること」が万能薬**なのです。

このエピローグを書いている2021年8月時点で、国内のワクチン接種は着々と進んでいます。新型コロナウイルスはようやく収束に向かうのか、それとも再びぶり返すのか。誰もがハラハラしながら静かに状況を見守っています。

ここ1年半ほどで、私たちの世界は急に小さくなりました。

家族と過ごす時間が増え、外に出かけられない分、誰しもが自分なりにインドアでやれることを見つけて、この宙ぶらりんな時間を楽しもうとしました。本を読んだり、料理に凝ってみたり、DIYをしてみたり。考えごとをする時間も、有り余るほど与えられました。その中で、本当に自分が好きなこと、大切にしたいこと、一緒に過ごしたい人、居心地よく感じられる場所、美味しいと思えるもの……など、自分の人生に心からあってほしいと思える要素を改めて見つめ直した人は多かったはずです。

一方で、「心おきなく旅行ができない」「友達と直接会えない」「大好きなレストランで食事が楽しめない」といった「できないこと」は数え切れないほどあって、パンデミックが収束したら真っ先に「これをやりたい！」という渇望感が、どんどん膨らんでいます。

——コロナだからできたこと
——コロナだからできなかったこと
——コロナ収束後に心底やりたいこと

いろいろな方向から、パンデミックに遭遇しなければ気づくことのなかった自分の心の中の「want」を意識するようになりました。そしてコロナ収束後はその「want」を携えて、「小さくなった世界」を自分にフィットする形に押し広げていくことになります。

近い将来、この本を読んでくださったすべての方が、最高に心おどる「場所」と「時間」を見つけられていることを心から願います。

巻末に、これからワーケーションに挑戦するかたのためにQ&Aと全国のトップランナーたちの情報を入れています。必要に応じてご参照ください。

Special Thanks

本書を一つの形にするにあたり、本当にたくさんの方にお力添えをいただきました。「ワーケーション」は、新型コロナウイルスの蔓延にともない急速にテレワーク（リモートワーク）が浸透したことで、にわかに注目されるようになりましたが、以前はマイナーなワークスタイルに過ぎませんでした。しかし、その時点からこの働き方には素晴らしい可能性があると確信し、世界中で、日本各地で、そしていろいろな組織の中で、それぞれに試行錯誤を続けながら仕掛けてきたたくさんの仲間たちがいました。今回の本は、そんな素敵な「仲間」たちの声を「人生の主導権を取り戻す」という一つのテーマに乗せて、世の中に届ける試みでもありました。

最後に、その「仲間」である方々にお礼を申し上げたいと思います。

まず一番にお礼を申し上げたいのが、ビジネスメディアBusiness Insider Japanの前統括編集長の浜田敬子さんです。2018年に彼女が「リモートワーク実証実験をやりたい」と声をかけてくださらなければ、私たちが五島列島でワーケーションの企画・運営を始めることもありませんでした。彼女の呼びかけにより優秀なビジネスパーソンたちが五島に集まり、そこから新しい働き方を希求する輪が広がっていきました。まだ「ワーケーション」という言葉さえほとんど知られていなかったタイミングで、実施に踏み切ってくださった浜田さんの先見の明と迷いのない英断に感謝を申し上げます。

働く人一人ひとりが「場所」を自由にデザインできるようになることが日本の未来を明るくすると信じて、日頃から活動している全国の皆さん。私たちにとって「同志」とも言える存在ですが、この一冊の本を形にするにあたり、取材対象の選定、取り上げる事例の選択、インタビュー取材など、たくさんの時間をお付き合いいただきました。

毎日新聞記者で親子ワーケーション部代表の今村茜さん、HafHを運営するKabuK Style社長／共同創業者の大瀬良亮さん、日本航空（JAL）人財本部人財戦略部の東原祥匡さん、パソナJOB HUBの加藤遼さん、ユニリーバ・ジャパン・ホールディングスの取締役・人事総務本部長の島田由香さん、和歌山県情報政策課長の桐明祐治さん、関西大学教授の松下慶太さん、IKI PARK MANAGEMENT代表取締役の高田佳岳さん、「日々」の店主・山本裕介さん、日本ワーケーション協会の代表理事の入江真太郎さん、母親アップデート理事の田畑あかねさん、ソトエ代表の児玉真悠子さんの温かいサポートにお礼申し上げます。

また五島列島のワーケーションでは、常にたくさんのメディア関係者の皆さんに応援をいただいてきました。長い時間をかけて浸透した古い働き方を変えていくにはたくさんの困難がともなう中で、メディアの皆さまのサポートは大きな力となっています。

ハフポスト日本版前編集長で五島ファンにもなってくださった竹下隆一郎さん、離島経済新聞社の鯨本あつこさん、朝日新聞社のニュースメディアwithnews編集長の奥山晶二郎さん、CNETJapan編集長の藤井涼さんとその運営会社朝日インタラクティブ前代表取締役社長の高野健一さん、週刊エコノミストの市川明代さんにも感謝を。

この本を一つの形にするにあたっても、日経BP日本経済新聞出版本部の担当編集者・雨宮百子さんが「今、出すべき本だと思います！」と強力に後押ししてくださいました。また原稿の推敲に当たっては、メンバー鈴木の親友で編集者の中野亜美さん、内閣府地方創生推進事務局（現在は農林水産省に帰任）の得田啓史さんからも親身なお力添えをいただきました。

そして最後に、私たちみつめる旅のメンバーに、人生を変える転機を与えてくれた「五島」という場所と、「よそ者」である私たちをいつも温かく迎えてくださる地域の皆さんに心からの感謝を。メンバーの鈴木に五島の真の魅力を教えてくださり、今もみつめる旅の地域メンバーとして共に活動してくださっている写真家の廣瀬健司さん、新しい挑戦に毎回「やりましょう！」と果敢に伴走してくださる五島市役所地域協働課の庄司透さんと松野尾祐二さん、困難な企画でもいつも全力でサポートしてくださるトラベルQ、Sense of Nature、セレンディップホテル五島をはじめとする地域の事業者の皆さんにも心からの感謝を。

ここには書き切れないほどたくさんの皆さんに支えられている私たちみつめる旅の活動ですが、極めてシンプルな「五島で何かしたい！」という気持ちが、わずか数年で数え切れないほどのご縁を生み、私たちの人生をとても豊かなものにしてくれたことに改めて驚きます。すべては運命とさえ感じられるような必然的偶然でした。本書を読み切ってくださった皆さんの人生にも、思いもよらない素敵な展開が生まれますように。

2021年9月　　　　一般社団法人　みつめる旅

Q1：自分にあったワーケーションは
どうやって見つければいいですか？

A1：ワーケーションは、基本的に自分で旅先や旅程を決め、移動や宿の手配も自分で進めればOKですが、最初のうちは企業や自治体が企画するものに参加してみるのもアリです。その場合、年1回開催など単発の「イベント型」か、年中いつでも好きな時に行ける「通年型」か、またどこが主催しているかによっていくつかのパターンに分かれます。

イベント型	地域の自治体が主催するもの
	地域の民間事業者（企業）が主催するもの
	全国区の民間事業者（企業）が主催するもの
通年型	地域の民間事業者（企業）が主催するもの
	全国区の民間事業者（企業）が主催するもの
	特に主催はなく、「行く側」が自分で手配するもの

ちなみに、五島列島のワーケーション・イベントは、【イベント型・地域の自治体が主催するもの】に分類されます。年に1回2週間〜ひと月程度の期間限定で五島市主催で開催されるワーケーションイベントを、一般社団法人みつめる旅が委託事業として手がけるというスタイルです。

このスタイルの、自治体主導のイベント型ワーケーションは、現在日本全国で準備が進んでいて、2021年度から2022年度にかけてはさまざまなテーマで単発イベントやモニターツアーが実施される予定です。SNSやワーケーション実践者のためのオンライン・コミュニティ及び情報サイトで、募集情報が告知されていますので、チェックしてみてください。

Q2：ワーケーションには、何を持っていけばいいですか？

A2：まず仕事をスムーズに進めるために以下のアイテムは最低限持って行くことをおすすめします。

- ラップトップパソコン
- 種々のケーブルやコネクター類
- イヤフォン（充電式ノイズキャンセリング機能付きが◎）
- スマホの充電式バッテリー
- 名刺（10枚くらいは余裕を持って多めに）
- ポケットWi-Fi（国内でも現地で使えない場合があるので要注意）
- ペン
- ノート

以上があれば、3泊〜1週間程度は支障なく仕事ができると思います。特にケーブルやコネクター類は現地での調達が難しい場合も少なくないので、普段使っているものを漏れなく全部持っていくことをおすすめします。

また電波の悪いところだとスマホの電池が普段より早いスピードで減りますし、旅先では充電できるコンセントが見つからないことも多いので、スマホの充電式バッテリーを満タンにして最低一つは携帯しておくと安心です。さらに長期になるのであれば、みつめる旅のメンバーは旅先から書類の発送等が必要になった時に備えて会社の封筒や印鑑なども念のため荷物に入れておきます。

また過去には、旅先でコピーやスキャン、紙の出力が必要になり、急遽コンビニの複合機を使うことになった際、USBメモリがたまたまバッグに入っていて助かったという場面もありました。紙への出力が必要な場面が想定されるのであれば、現地に自由に使える複合機がないことも十分にありえるので、旅に出る前に印刷していくことをおすすめします。

Q3：ワーケーションに出かける際は、会社にはどう伝えればいいですか？

A3：まず会社員がワーケーションをする場合、会社にどう報告するかは、大きく分けて次の2通りがあります。

①：有給を取得して「休暇」として出かける
②：テレワーク申請をして「業務」として出かける

①は、会社員であれば誰しもが有給取得が認められているので、まずはこれを活用してワーケーションに挑戦してみるのもアリです。実際、「金曜日と月曜日」または「木曜日と金曜日」に有給を取得し、土日と繋げて3泊4日をワーケーションのために確保するという方は多いです。①の場合、休暇中にプライベートで旅行をするのと同じですから、会社に対して「ワーケーションに行きます」と報告する義務はありません。ただし、会社によって休暇中に社用のパソコンなど仕事道具をオフィス外に持っていくことや、公共スペースで使用することを禁じている場合もありますので、人事部やIT部門に確認してください。

②の場合、テレワークが認められているかどうかは会社によって異なるので、まずは自分が勤務する会社が社内制度としてテレワークを実施しているか、実施している場合、自分が制度の対象かをまずは確認してください。会社によっては「緊急時に2時間以内にオフィスに行けること」などをテレワークの条件にしている場合もありますので、旅先がその範囲内にあるかも要確認です。「テレワークは制度としてあるが、社内に浸透していなくて申請しづらい……」という場合は、まず直属の上司に「ワーケーションをしてみたい」と相談してみましょう。①の場合も②の場合も、働き方として社内に広めるため旅先のことや感想を積極的に発信することをおすすめします。

Q4：出張と何が違うのですか？
また事故に遭ったら労災になりますか。

A1：会社の制度としては、ワーケーションは「出張」よりも、むしろ「テレワーク（リモートワーク）」と同じ扱いにしている企業が多いです。仕事をしている場所と時間をあらかじめ会社に申請し、その部分のみを「就労時間」と見なします。例えば、労災の適用範囲については個別に判断することになりますが、「就労時間」は原則対象となります。「就労時間」以外の部分、つまりVACATIONの部分は「余暇」と見なされるので、労災などの対象には原則なりません。具体的には、会社にテレワークの申請をせずに内緒でワーケーションをしていた場合、または「就労時間」外に旅先でサーフィンや釣りをしていて事故に遭った場合などは、原則労災などの対象外です。その意味では、自宅を出てから帰るまでの全行程が業務と見なされ、労災などの対象となる出張とは異なります。また旅費も出張とは異なり現時点では全額自己負担としている企業がほとんどです。

　また、この本で取り上げたJALで制度化されている「出張＋休暇」の「ブレジャー」では、3日間の出張に2日間の休暇をつけて4泊5日である地域に出かけるような利用の仕方を想定しています。この場合、前半の3日間を就業日、後半の2日間が休暇となりますが、JALでは3日目の業務終了時間までを「就労時間」として会社が把握し、それ以降の時間との境で手当などの支給の是非を決めています。

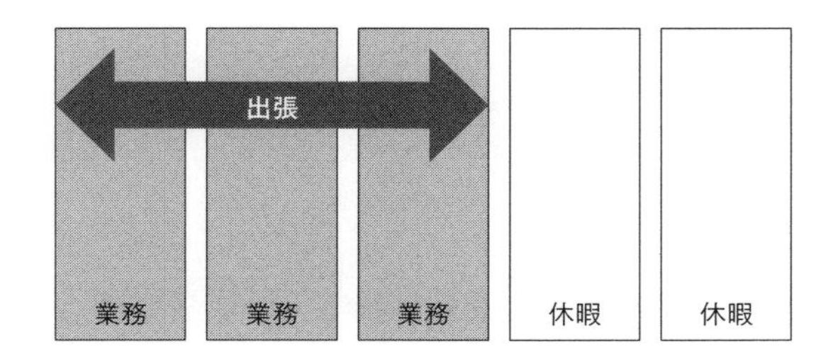

Q5：一人で行きたいが、家族にはどう伝えたらいいですか？

A5：まずは「一人で行きたい理由」を自分の中できちんと整理しましょう。「仕事に集中したいから」「新規事業のネタを探して仕込みに行きたいから」「子連れでは難しいハードなアクティビティに挑戦したいから」など、明確な「理由」が定まったら、留守の間負担をお願いすることになる家族のメンバーにそれを率直に伝えて理解を得ます。自分の気持ちにも周囲にも正直になることがポイントです。

特に普段家事や育児など「家族の仕事」をメインで担当している方が、一人でワーケーションに出かけることを強くおすすめします。例えば、共働きの夫婦のうちママがほぼワンオペで「家族の仕事」をやっているのであれば、思い切ってママが一人でワーケーションに出かけ、その間だけでもパパがメインで「家族の仕事」を引き受けてみる。ときにはそんなチャレンジを家族全体でしてみてはどうでしょう。

Q6：お金はどのくらいかかりますか？

A6：ワーケーションには最低いくらかけましょうという基準はありません。基本的には、通常の旅行にかける費用と変わりませんが、予定を詰め込み過ぎず「余白」を楽しむ余裕を持つには、最低でも3泊4日以上をおすすめします。

また十分な速度とセキュリティが担保されたWi-Fi完備の宿泊施設に泊まることを考えたり、格安パッケージ旅行などが整備されている地域以外に出かけていく可能性が高かったり、自分が「欲しい刺激」を受けるために各種アクティビティやオプショナルツアー等に申し込む可能性が高いことなどを踏まえると、通常の旅行の1.2〜1.5倍の範囲で余裕を持った予算組みにしておくと安心です。

#長崎県壱岐市ワーケーション

長崎県壱岐市

ながさきけんいきし

♥福岡から高速船で1時間。大自然や人との出会いで、自然とすべてが整う島。★出会いから始まるイノベーション。

#鳥取県ワーケーション

鳥取県

とっとりけん

♥人口最少、人と人、街と鳥取砂丘等の豊かな自然が近いコンパクトな県。★副業を通じたジョブケーション、ファミリーワーケーションにも積極的。

#長崎県五島市ワーケーション

長崎県五島市

ながさきけんごとうし

♥移住者数が3年連続200人超！若者やファミリーに選ばれる島五島市。★コワーキングスペースが複数あり、通年でリモートワーカーが遊びに来る島です。

#北海道ワーケーション

北海道

ほっかいどう

♥大自然・食・アクティビティ・人、魅力度全国1位の北海道！★企業・個人・家族の幅広いニーズにお応えするワーケーションをご案内します。

#長野県ワーケーション

長野県

ながのけん

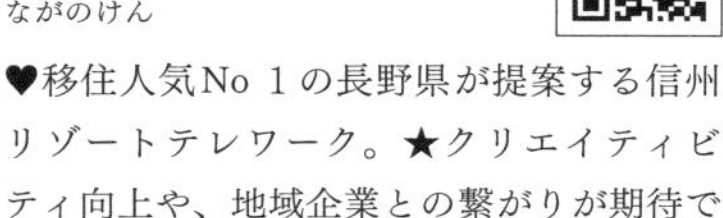

♥移住人気No 1の長野県が提案する信州リゾートテレワーク。★クリエイティビティ向上や、地域企業との繋がりが期待できる80以上の特徴ある施設を提供。

#和歌山県ワーケーション

和歌山県

わかやまけん

♥全国に先駆けて2017年度からワーケーションの受入れを推進。★ワーケーション自治体協議会の運営も行い、全国的な取組の体系化に尽力。

#新潟県妙高市ワーケーション

新潟県妙高市

にいがたけんみょうこうし

♥妙高市は7つの温泉地と8つのスキー場を有する国立公園が広がる観光地です。★妙高市フィールドを活用したラーニング型ワーケーションに取り組んでいます。

#ワーケーション実践者

Akina Shu

しゅう　あきな

♥Nomad University（ノマド大学）Podcastを配信中！★世界中のノマドの珍事件や恋愛事情オススメコワーキングなどを英語で配信しています！

日本全国の注目ワーケーション・トップランナーたちの

INFORMATION

#ワーケーション実践者

今村茜

いまむらあかね

♥情報交換コミュニティ「親子ワーケーション部」を運営しています。★「ワーケーションしたいけど子連れでできるかな」と不安な方、ぜひご参加を！

#ワーケーション実践者

(一社)信州たてしな観光協会　渡邉岳志

しんしゅうたてしなかんこうきょうかい　わたなべたけし

♥長野県の高原リゾートで仕事マシマシワーケーションをコンシェルジュがご提案。★真夏でもエアコン不要で肩こりしにくいと好評。おひとり様も大歓迎！

#ワーケーション実践者

後藤美佳

ごとうみか

♥女性が自立し、人生の選択が自由にできる社会を創ります。★「自立と自由」を選択する手段として、テレワークスキルの習得支援を行っています。

#ワーケーション実践者

プロキャンパー星

ぷろきゃんぱーほし

♥北海道唯一のプロキャンパーとして、メディア、プロデュース業を行う。★好きなことを仕事にするというのが、これからのビジネスパーソンの条件です。

#ワーケーション実践者

東原祥匡

ひがしはらよしまさ

♥日本航空ではワーケーションで地域を繋ぎ、自己成長の機会に繋げています。★自社だけでなく多くの企業が実現できるよう多方面からサポートしています。

#ワーケーション事業始めました

南紀白浜エアポート　森重良太

なんきしらはまえあぽーと　もりしげりょうた

キーワードで検索してみて♪

♥コンシェルジュとして和歌山での体験・出会いや旅行手配をご紹介しています★和歌山は日本におけるワーケーション発祥地の1つとして人気です。

#ワーケーション事業始めました

壱岐イルカパーク＆リゾート

いきいるかぱーくあんどりぞーと

♥博多港から高速船で約1時間、壱岐島にあるイルカを身近に感じられる観光施設。★イルカを見ながらワーケーションできるカフェの他、イルカと泊まれるプランも！

#ワーケーション事業始めました

一般社団法人日本ワーケーション協会　代表理事　入江真太郎

いっぱんしゃだんほうじんにほんわーけーしょんきょうかい

♥ワーケーションが新しい生き方、暮らし方、働き方の1つになるように活動中！★地域、企業、個人。どの方にとっても必要な団体となるべく活動をしています。

#ワーケーション事業始めました

神奈川ワーケーションNavi

かながわわーけーしょんなび

♥「徹底的に利用者目線」で役立つ情報を発信するワーケーション専門メディアです。★ワーケーションに詳しい記者が体験取材したリアルな情報を神奈川から発信！

#ワーケーション事業始めました

妙高市グリーン・ツーリズム推進協議会

みょうこうしぐりーん・つーりずむすいしんきょうぎかい

♥「仕事がメイン」の企業研修型ワーケーションをコーディネートしています。★チームづくりやストレス改善、合宿型など「成果重視」のプログラムです。

#ワーケーション事業始めました

株式会社ソトエ（親子deワーケーション）児玉真悠子

かぶしきがいしゃそとえ　おやこでわーけーしょん　こだままゆこ

♥親子ワーケーションは、「わたしも、家族も、したい暮らし」を実現する手段！★独立後7年間、子どもを連れて各地でワーケーションしてきた経験を次世代へ。

#ワーケーション事業始めました

株式会社ガイアックス「Otell」千葉憲子

かぶしきがいしゃがいあっくす　ちばのりこ

♥仕事環境が整った平日4泊5日のホテルが検索できるサイトです。★独自の基準を設け、デスクやwifiなどが揃っているホテルのみを3プライスで掲載。

#ワーケーション事業始めました

TreckTreck / YILU inc.　伊藤 薫

とれっくとれっく　かぶしきがいしゃいーるー　いとうかおる

♥地域ならではのくらし、人と事業と出会える旅を企画しています。★自然共生・防災について企業研修や小学生以上向けの学びのプログラムを提供。

#ワーケーション事業始めました

株式会社ふろしきや

かぶしきがいしゃふろしきや

♥長野県千曲市で行われる交流と学びの温泉ワーケーションです。★これまで延べ300名近くを迎え、多くのプロジェクトが生まれています。

#ワーケーション事業始めました

宮城ワーケーション協議会

みやぎわーけーしょんきょうぎかい

♥宮城県おいてワーケーションを推進し、移住定住の増加を目指しています。★民間主導でありながら、宮城県知事を筆頭に23の首長が幹事となっています。

#ワーケーション事業始めました

㈱Feel Japan 藤田勝光

かぶしきがいしゃ　ふぃーるじゃぱん　ふじたまさみつ

♥事業会社、世界一周、海外駐在経験後、宿を開業。トリップアドバイザー1位に！★自転車ツアーやヨガ、国際交流で“人との繋がり”を生む宿を運営中です！

（注）QRコードの読み込みには遷移ページが入ります。ページ内「移動する」ボタンを押して情報サイトをご確認下さい

一般社団法人みつめる旅
長崎県・五島列島を舞台に「価値観を揺さぶられる人生の旅」を提供することをミッションとする法人。本業では東京でIT企業社員、経営コンサルタント、広報PR、編集者兼プランナーとして働く4人が副業として設立し、これまで手がけた五島での地域共生型ワーケーション企画は、「観光閑散期に平均予定泊数6.3泊」「申込者の約4割が組織の意思決定層」「宣伝広告費ゼロで1.9倍の集客」などの成果が、ワーケーション領域で全国的に注目される。その他、山口周さんと行く3泊4日well-beingプログラム「みつめる旅humanity」（年2回開催）も日系大手企業中心に支持を集めるなど、離島と都市在住ビジネスパーソンの豊かな関係人口を創出するべく東京と五島を行き来しながら活動中。地域メンバーとして、本書掲載の五島の風景写真（一部を除く）を撮影した写真家・廣瀬健司さんも参画。

代表理事：鈴木円香（すずき・まどか）
1983年兵庫県生まれ。2006年京都大学総合人間学部卒、朝日新聞出版、ダイヤモンド社で書籍の編集を経て、2016年に独立。本業では、ウェブメディア編集長やTVコメンテーターを務める他、企業のメディア運営、CI設計、ブランディングなどを専門領域とする。2017年に家族旅行で訪れた五島列島に魅せられPR活動を開始し、現在に至る。観光庁「新たな旅のスタイル」促進事業アドバイザー。

代表理事：遠藤貴恵（えんどう・たかえ）
1982年神奈川県生まれ。株式会社サイバーエージェント傘下でwebディレクターや広報PRの業務を経て、広報PRとして独立。IT企業やNPO法人の広報PR、経営サポートに携わる中、2019年開催リモートワーク実証実験の事務局に参画したことをきっかけに五島と出会い、現在に至る。

山口周（やまぐち・しゅう）
1970年東京都生まれ。独立研究者、著作家、パブリックスピーカー。ライプニッツ代表。慶應義塾大学文学部哲学科、同大学院文学研究科美学美術史専攻修士課程修了。電通、ボストン　コンサルティング　グループ等で戦略策定、文化政策、組織開発などに従事。『世界のエリートはなぜ「美意識」を鍛えるのか?』（光文社新書）『ニュータイプの時代』（ダイヤモンド社）、『ビジネスの未来』（プレジデント社）などベストセラー多数。神奈川県葉山町に在住。

著者経歴

一般社団法人みつめる旅
長崎県・五島列島を舞台に「価値観を揺さぶられる人生の旅」を
提供することをミッションとする法人。
本業では東京でIT企業社員、経営コンサルタント、
広報PR、編集者兼プランナーとして働く4人が副業として設立。

どこでもオフィスの時代
人生の質が劇的に上がる
ワーケーション超入門

2021年10月6日　初版第1刷発行

著　者　　一般社団法人みつめる旅

発行者　　白石 賢

発　行　　日経BP
日本経済新聞出版本部

発　売　　日経BPマーケティング
〒105-8308 東京都港区虎ノ門4-3-12

装　幀　　夏来怜

DTP　　マーリンクレイン

印刷・製本　　シナノ印刷

写　真　　WESTEND61/アフロ(209ページ)

ISBN978-4-532-32433-9